#홈스쿨링
#혼자 공부하기

똑똑한
하루 한자

똑똑한 하루 한자
시리즈 구성 예비초~4단계

우리 아이 한자 학습 첫걸음

8급

1단계 A, B, C

7급 II

2단계 A, B, C

7급

3단계 A, B, C

6급 II

4단계 A, B, C

 3단계 C

4주 완성 스케줄표

⭐ 공부한 날짜를 써 봐!

1주

1일 10~19쪽	2일 20~25쪽	3일 26~31쪽	4일 32~37쪽	5일 38~43쪽	특강
학교 한자 登 오를 등 校 학교 교	학교 한자 休 쉴 휴 學 배울 학	학교 한자 日 날 일 記 기록할 기	학교 한자 同 한가지 동 門 문 문	학교 한자 弟 아우 제 子 아들 자	44~51쪽
월 일	월 일	월 일	월 일	월 일	월 일

 힘을 내! 넌 최고야!

2주

1일 52~61쪽	2일 62~67쪽	3일 68~73쪽	4일 74~79쪽	5일 80~85쪽	특강
배움 한자 分 나눌 분 班 나눌 반	배움 한자 敎 가르칠 교 育 기를 육	배움 한자 重 무거울 중 力 힘 력	배움 한자 安 편안 안 全 온전 전	배움 한자 活 살 활 動 움직일 동	86~93쪽
월 일	월 일	월 일	월 일	월 일	월 일

 배운 내용은 꼭꼭 복습하기!

3주

1일 94~103쪽	2일 104~109쪽	3일 110~115쪽	4일 116~121쪽	5일 122~127쪽	특강
수 한자 百 일백 백 千 일천 천	수 한자 萬 일만 만 一 한 일	수 한자 小 작을 소 數 셈 수	수 한자 六 여섯 륙 角 뿔 각	수 한자 電 번개 전 算 셈 산	128~135쪽
월 일	월 일	월 일	월 일	월 일	월 일

 마지막 4주 공부 중. 감동이야!

4주

1일 136~145쪽	2일 146~151쪽	3일 152~157쪽	4일 158~163쪽	5일 164~169쪽	특강
언어 한자 主 임금/주인 주 語 말씀 어	언어 한자 漢 한수/한나라 한 字 글자 자	언어 한자 文 글월 문 集 모을 집	언어 한자 便 편할 편/똥오줌 변 紙 종이 지	언어 한자 問 물을 문 答 대답 답	170~177쪽
월 일	월 일	월 일	월 일	월 일	월 일

Chunjae
Makes
Chunjae

▼

똑똑한 하루 한자 3단계 C

편집개발	황현욱, 정환진, 최은혜
디자인총괄	김희정
표지디자인	윤순미
내지디자인	박희춘, 조유정
삽화	이영호, 이예지, 이혜승, 장현아
제작	황성진, 조규영

발행일	2022년 2월 1일 초판 2022년 2월 1일 1쇄
발행인	(주)천재교육
주소	서울시 금천구 가산로9길 54
신고번호	제2001-000018호
고객센터	1577-0902

똑 똑 한

하루
한자

3 단계
C
7급 기초3

구성과 활용 방법

한 주 미리보기

미리보기 만화

미리보기 활동

일일 학습

QR을 보며 따라 써요!

이야기를 읽으며
오늘 배울 한자를 만나요.

QR 코드 속 영상을 보며
한자를 따라 써요.

재미있는 만화로 생활 속 한자어를 익혀요.

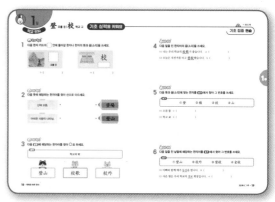

핵심 문제로 기초 실력을 키워요.

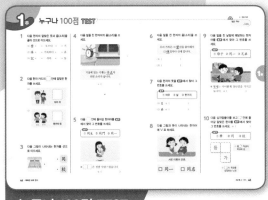

한 주 마무리

문제를 풀며 한 주 동안
배운 내용을 확인해요.

특강

생각을 키워요

창의·융합·코딩 문제로
재미는 솔솔, 사고력은 쑥쑥!

부록

한자 카드로 더욱
재미있게 공부해요!

3주

수 한자

4주

언어 한자

7급 배정 한자 총 150자

♥ ☐은 3단계-C 학습 한자입니다.

ㄱ

歌	家	間	江	車
노래 가	집 가	사이 간	강 강	수레 거/차
空	工	敎	校	九
빌 공	장인 공	가르칠 교	학교 교	아홉 구
口	國	軍	金	旗
입 구	나라 국	군사 군	쇠 금/성 김	기 기

記	氣	南	男	內
기록할 기	기운 기	남녘 남	사내 남	안 내

ㄴ

ㄷ

女	年	農	答	大
여자 녀	해 년	농사 농	대답 답	큰 대
道	冬	洞	東	動
길 도	겨울 동	골 동/밝을 통	동녘 동	움직일 동

ㄹ

同	登	來	力	老
한가지 동	오를 등	올 래	힘 력	늙을 로

ㅁ

六	里	林	立	萬
여섯 륙	마을 리	수풀 림	설 립	일만 만
每	面	命	名	母
매양 매	낯 면	목숨 명	이름 명	어머니 모
木	文	門	問	物
나무 목	글월 문	문 문	물을 문	물건 물

民	**ㅂ** 方	百	白	父
백성 민	모 방	일백 백	흰 백	아버지 부
夫	北	不	**ㅅ** 四	事
지아비 부	북녘 북/달아날 배	아닐 불	넉 사	일 사
山	算	三	上	色
메 산	셈 산	석 삼	윗 상	빛 색
生	西	夕	先	姓
날 생	서녘 서	저녁 석	먼저 선	성 성
世	所	小	少	水
인간 세	바 소	작을 소	적을 소	물 수
數	手	時	市	食
셈 수	손 수	때 시	저자 시	밥/먹을 식
植	室	心	十	**ㅇ** 安
심을 식	집 실	마음 심	열 십	편안 안
語	然	午	五	王
말씀 어	그럴 연	낮 오	다섯 오	임금 왕
外	右	月	有	育
바깥 외	오른 우	달 월	있을 유	기를 육
邑	二	人	日	一
고을 읍	두 이	사람 인	날 일	한 일
入	**ㅈ** 字	自	子	長
들 입	글자 자	스스로 자	아들 자	긴 장

場	電	前	全	正
마당 장	번개 전	앞 전	온전 전	바를 정
弟	祖	足	左	住
아우 제	할아버지 조	발 족	왼 좌	살 주
主	中	重	地	紙
임금/주인 주	가운데 중	무거울 중	땅 지	종이 지
直	ㅊ 川	千	天	青
곧을 직	내 천	일천 천	하늘 천	푸를 청
草	寸	村	秋	春
풀 초	마디 촌	마을 촌	가을 추	봄 춘
出	七	ㅌ 土	ㅍ 八	便
날 출	일곱 칠	흙 토	여덟 팔	편할 편/똥오줌 변
平	ㅎ 下	夏	學	韓
평평할 평	아래 하	여름 하	배울 학	한국/나라 한
漢	海	兄	花	話
한수/한나라 한	바다 해	형 형	꽃 화	말씀 화
火	活	孝	後	休
불 화	살 활	효도 효	뒤 후	쉴 휴
角 ✿	班 ✿	分 ✿	集 ✿	
뿔 각	나눌 반	나눌 분	모을 집	

• 6급Ⅱ 한자는 ✿로 표시함.

함께 공부할 친구들

주 미리보기 에서 만나요!

무엇이든 척척 해결하는
명랑 탐정

놀라운 추리력의 소유자
초롱 탐정

본문 에서 만나요!

씩씩하고 유쾌한 친구
우주

마음이 따뜻하고
똑똑한 친구 **노을**

탐정 사무소

탐정님들, 저 좀 도와주세요!

무슨 일이신가요?

작년에 절 가르쳐 주셨던 과외 선생님이 편지를 보내셨는데 한자가 많아서 이해가 잘 안 돼요. 선생님이 만나자고 하신 날짜가 오늘인데, 어디로 가야 할지 모르겠어요.

안녕, 유진아.

잘 지냈니? 과외 선생님이야.

지나가던 길에 우연히 登校하는 네 모습을 봤어. 네가 초등학교 同門이자 나의 첫 弟子라서 더 기억에 많이 남는 것 같아.

나는 休學을 하고, 곧 외국으로 공부하러 가. 가기 전에 널 만났으면 좋겠어.

이번 주 금요일 하교 시간에 맞춰 우리 초등학교 同門 사이에서 유명한 분식집 앞에서 널 기다릴게. 너에게 선물로 줄 日記장을 들고 서 있을 거야.

과외 선생님이

선생님이 만나자고 한 곳이 어떤 분식집인지 알려면 우선 편지 속 한자어를 한글로 바꿔야겠어.

맞아.

1일 登 오를 등 | 校 학교 교　　**2일** 休 쉴 휴 | 學 배울 학　　**3일** 日 날 일 | 記 기록할 기

4일 同 한가지 동 | 門 문 문　　**5일** 弟 아우 제 | 子 아들 자

여기 있는 한자들, 학교와 관련된 것들이잖아?

그럼 학교와 관련된 한자들을 공부하며 같이 한번 읽어 보자.

안녕, 유진아.

잘 지냈니? 과외 선생님이야.

지나가던 길에 우연히 등교하는 네 모습을 봤어. 네가 초등학교 동문이자 나의 첫 제자라서 더 기억에 많이 남는 것 같아.

나는 휴학을 하고, 곧 외국으로 공부하러 가. 가기 전에 널 만났으면 좋겠어.

이번 주 금요일 하교 시간에 맞춰 우리 초등학교 동문 사이에서 유명한 분식집 앞에서 널 기다릴게. 너에게 선물로 줄 일기장을 들고 서 있을 거야.

과외 선생님이

잠깐, 초등학교 동문 사이에서 유명한 분식집이라면?

할머니네 분식집!

잠시 뒤

⭐ 이번 주에 배울 한자들이 그림 속에 숨어 있어요. 보기 를 참고해서 한자를 찾아 ⭕표 하고,

　에 해당 한자의 음(소리)을 쓰세요. 그리고 의뢰인의 과외 선생님을 찾아 ☆표 하세요.

보기

| 登 오를 등 | 校 학교 교 | 休 쉴 휴 | 學 배울 학 | 日 날 일 |
| 記 기록할 기 | 同 한가지 동 | 門 문 문 | 弟 아우 제 | 子 아들 자 |

1주

登 校

오를 등   학교 교

🔍 다음 글을 읽고, 오늘 배울 한자를 확인해 보세요.

오늘은 등교(登校)하는 발걸음이 너무나 가벼워요.

왜냐하면 학교[校]에서 산으로 소풍을 가기 때문이에요.

나는 매주 아빠와 산을 오르고[登] 있는데,

상쾌한 공기를 마실 수 있어서 산이 정말 좋아요.

아빠가 사 주신 등(登)산복을 챙겨 입고 학교[校]에 가요.

매일 산으로 소풍을 가면 좋겠어요.

오늘 배울 한자

登 校

오를 등   학교 교

✏️ 연하게 쓰인 한자를 따라 써 본 후, 빈칸에 바르게 쓰세요.

오를 등

신에게 바칠 음식을 들고 제단 위로 오르는 모습을 나타낸 글자로, **오르다**를 뜻해요.

QR을 보며 따라 써요!

登	登	登	登	登	登
오를 등	오를 등	오를 등	오를 등	오를 등	오를 등

1주

학교 교

구부러진 나무를 바로잡는 모습을 나타낸 글자로, 사람을 올바르게 이끄는 **학교**를 뜻해요.

QR을 보며 따라 써요!

校	校	校	校	校	校
학교 교	학교 교	학교 교	학교 교	학교 교	학교 교

登 오를 등 | 校 학교 교

한자어를 익혀요

여러분, 등산(登山)할 준비 됐나요?

네!!

△△산

다들 표정이 매우 밝네.

네! 선생님, 산에 갈 생각을 하니 등교(登校)하는 발걸음이 가벼웠어요.

저는 교외(校外)라면 어디든 좋아요!

안전이 제일 중요해요! 다들 천천히 가도록 해요. 선생님은 맨 뒤에서 갈 건데 누가 우리를 이끌어 줄까요?

저요! 등산 고수 등장(登場)이요! 저는 매주 아빠와 등산을 해요.

그래? 그럼 우주가 이끌어 주렴.

척

노을아, 조금 더 힘을 내. 우리 다 같이 교가(校歌)를 부르며 힘을 내 보자!

응, 알겠어.

자, 다들 고생 많았어요. 앞장서서 우리를 이끌어 준 우주에게 박수!

와!

짝 짝

이 정도 인기라면 전교(全校) 회장 선거에 나가야겠네.

전교 회장 선거

와아 와

와아

아이고, 못 말려.

'登(오를 등)'과 '校(학교 교)'가 들어간 한자어를 알아봅시다.

오를 등

학교 교

1주

등산(登山)

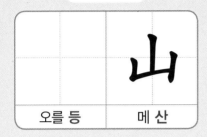

山
오를 등	메 산

뜻 산에 오름.

교외(校外)

外
학교 교	바깥 외

뜻 학교의 밖

등교(登校)

校
오를 등	학교 교

뜻 학생이 학교에 감.

교가(校歌)

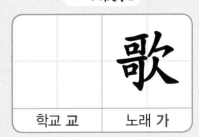

歌
학교 교	노래 가

뜻 학교를 상징하는 노래

등장(登場)

場
오를 등	마당 장

뜻 어떠한 사람이 나타남.

전교(全校)

全
온전 전	학교 교

뜻 한 학교의 전체

한자 확인

1 다음 한자 카드의 □ 안에 들어갈 한자나 한자의 뜻과 음(소리)을 쓰세요.

→ (   )

→ (   )

어휘 확인

2 다음 뜻에 해당하는 한자어를 찾아 선으로 이으세요.

산에 오름. •

어떠한 사람이 나타남. •

• 登場

• 登山

어휘 확인

3 다음 설명에 해당하는 한자어를 찾아 ○표 하세요.

설명
> 학교의 밖

登山   校歌   校外

급수 유형

4 다음 밑줄 친 한자어의 음(소리)을 쓰세요.

(1) 나는 우리 학교의 **校歌**가 좋습니다. → (   )

(2) 오늘은 자전거를 타고 **登校**했습니다. → (   )

급수 유형

5 다음 뜻과 음(소리)에 맞는 한자를 보기 에서 찾아 그 번호를 쓰세요.

보기

① 登   ② 敎   ③ 校   ④ 山

(1) 오를 등 → (   )

(2) 학교 교 → (   )

급수 유형

6 다음 밑줄 친 낱말에 해당하는 한자어를 보기 에서 찾아 그 번호를 쓰세요.

보기

① 登山   ② 校外   ③ 登校   ④ 全校

(1) 아빠와 함께 매주 등산을 합니다. → (   )

(2) 사촌 형은 우리 학교의 전교 회장입니다. → (   )

休學

쉴 휴　　배울 학

🔍 다음 글을 읽고, 오늘 배울 한자를 확인해 보세요.

우리 언니는 장학금을 놓쳐 본 적 없는 모범생이고, 항상 노력하는 사람이에요.

언니는 쉬는[休] 날에도 공부를 게을리하지 않아요.

그리고 새로운 것을 배우는[學] 것도 두려워하지 않아요.

그런 언니가 대단하기도 하지만 가끔은 좀 쉬었으면[休] 좋겠어요.

오늘 배울 한자

休學

쉴 휴　　배울 학

✏️ **연하게 쓰인 한자를 따라 써 본 후, 빈칸에 바르게 쓰세요.**

쉴 휴

나무에 등을 기대어 쉬고 있는 사람의 모습을 나타낸 글자로, **쉬다**를 뜻해요.

QR을 보며 따라 써요!

休	休	休	休	休	休
쉴 휴	쉴 휴	쉴 휴	쉴 휴	쉴 휴	쉴 휴

배울 학

아이들이 양손에 책을 들고 있는 모습을 나타낸 글자로, **배우다**를 뜻해요.

QR을 보며 따라 써요!

學	學	學	學	學	學
배울 학	배울 학	배울 학	배울 학	배울 학	배울 학

休 쉴 휴 | 學 배울 학

한자어를 익혀요

언니, 어디 나가?

나 학교에 가야 해.

휴학(休學)했다며. 학교에는 왜 가?

공부하러 가야지. 학문(學問)에는 끝이 없어.

오늘도 공부하러 가?

'꾸준함'이 내가 원하는 대학(大學)에 입학(入學)할 수 있었던 비결이야. 얼른 다녀올게!

다녀왔습니다.

휴일(休日)에도 불휴(不休)하며 공부하는 언니를 위해 준비했어.

뭔데?

언니가 좋아하는 아이스크림! 내일은 가족끼리 맛있는 것도 먹고 영화도 보자!

척

아이스크림

그래, 어차피 내일은 도서관도 쉬더라. 같이 놀자!

좋아!

아이스크림

'休(쉴 휴)'와 '學(배울 학)'이 들어간 한자어를 알아봅시다.

 쉴 휴

 배울 학

휴학(休學)

| 쉴 휴 | 배울 학 |

뜻 일정 기간 동안 학교를 쉬는 일

학문(學問)

| 배울 학 | 물을 문 |

뜻 지식을 배워서 익히는 일. 한 분야의 지식

휴일(休日)

| 쉴 휴 | 날 일 |

뜻 일을 하지 않고 쉬는 날

대학(大學)

| 큰 대 | 배울 학 |

뜻 고등 교육을 베푸는 교육 기관

불휴(不休)

| 아닐 불 | 쉴 휴 |

뜻 조금도 쉬지 않음.

입학(入學)

| 들 입 | 배울 학 |

뜻 학생이 되어 공부하기 위해 학교에 들어감.

休 쉴 휴 | 學 배울 학

한자 확인

1 다음 한자의 뜻과 음(소리)으로 알맞은 것을 찾아 선으로 이으세요.

休 ·

· 배우다 ·

· 학

學 ·

· 쉬다 ·

· 휴

어휘 확인

2 다음 문장의 내용이 맞으면 '예', 틀리면 '아니요'에 ○표 하세요.

'學問(학문)'은 '지식을 배워서 익히는 일,
한 분야의 지식'을 뜻합니다.

예   아니요

어휘 확인

3 힌트를 보고 다음 빈칸에 들어갈 알맞은 글자를 써넣으세요.

불 □

□ 일

힌트

· 불□ : 조금도 쉬지 않음.

· □일 : 일을 하지 않고 쉬는 날

급수 유형

4 다음 뜻과 음(소리)에 맞는 한자를 보기 에서 찾아 그 번호를 쓰세요.

보기

① 休   ② 木   ③ 學   ④ 校

(1) 쉴 휴 → (   )

(2) 배울 학 → (   )

급수 유형

5 다음 밑줄 친 낱말에 해당하는 한자어를 보기 에서 찾아 그 번호를 쓰세요.

보기

① 休日   ② 入學   ③ 休學   ④ 不休

(1) 학교에 입학한 지 벌써 3년이 지났습니다. → (   )

(2) 대학생인 누나는 휴일을 맞아 여행을 떠났습니다. → (   )

급수 유형

6 다음 뜻에 맞는 한자어를 보기 에서 찾아 그 번호를 쓰세요.

보기

① 休學   ② 不休   ③ 休日   ④ 大學

(1) 조금도 쉬지 않음. → (   )

(2) 고등 교육을 베푸는 교육 기관 → (   )

日 記

날 일   기록할 기

🔍 다음 글을 읽고, 오늘 배울 한자를 확인해 보세요.

매일 밤 9시가 되면 일기(日記)를 써요.

그날[日] 있었던 일을 기록하면서[記] 하루를 정리하는 게 좋아요.

다 쓴 일기(日記)장이 쌓여갈 때마다 소중한 보물을 모으는 것 같아요.

가끔 예전에 썼던 일기(日記)장을 꺼내 읽어 보곤 하는데,

일기(日記)를 읽으면 그때 그 순간으로 여행을 떠나는 것 같아요.

오늘 배울 한자

日 記

날 일   기록할 기

날 일

햇살이 퍼지는 모습을 본뜬 글자예요. 그래서 해를 뜻해요. 해가 떠 있는 동안이 하루이니까 날도 뜻하게 되었어요.

QR을 보며 따라 써요!

日	日	日	日	日	日
날 일	날 일	날 일	날 일	날 일	날 일

기록할 기

말을 잘 다듬어 마음에 새긴다는 데서 **기록하다**라는 뜻을 나타내요.

QR을 보며 따라 써요!

記	記	記	記	記	記
기록할 기	기록할 기	기록할 기	기록할 기	기록할 기	기록할 기

日 날 일 │ 記 기록할 기

한자어를 익혀요

엄마, 뭐 하세요?

엄마가 예전에 썼던 일기(日記)를 다시 읽어 보고 있단다. 우주는 일기 잘 쓰고 있니?

그럼요. 요즘에는 용돈 기입(記入)장도 만들어서 쓰고 있어요. 수기(手記)로 글을 남기는 게 재밌어요.

우주도 엄마랑 똑같네. 하하하.

당신도 기록 좀 하세요. 지금은 다 기억이 나는 것 같아도 조금만 지나면 다 잊어버려요.

알았어요. 한번 해 볼게요. 지금 읽고 있던 건 언제 쓴 일기예요?

2년 전에 정일(正日)을 맞아 일출(日出)을 보러 갔던 날 쓴 일기예요.

확실히 글로 남겨 놓으니 세세한 부분까지 기억이 나네요. 그때 태양이 참 아름다웠는데.

저는 그때 일출을 보며 먹었던 컵라면이 기억나요.

맞아. 정말 맛있었지.

엄마, 아빠와 한 지금 대화도 기록으로 남겨야겠어요. 후일(後日)에도 오늘의 행복함을 기억할 거예요.

'日(날 일)'과 '記(기록할 기)'가 들어간 한자어를 알아봅시다.

날 일

기록할 기

정일(正日)

正	
바를 정	날 일

뜻 우리나라 명절의 하나인 설날의 다른 이름

일기(日記)

日	
날 일	기록할 기

뜻 겪은 일이나 느낌 등을 날마다 적음.

일출(日出)

	出
날 일	날 출

뜻 해가 뜸.

기입(記入)

	入
기록할 기	들 입

뜻 수첩이나 문서에 적음.

후일(後日)

後	
뒤 후	날 일

뜻 시간이 지나 뒤에 올 날

수기(手記)

手	
손 수	기록할 기

뜻 글이나 글씨를 자기 손으로 씀. 자기의 생활이나 체험을 직접 쓴 기록

1 다음 한자의 뜻과 음(소리)으로 알맞은 것을 찾아 선으로 이으세요.

日

記

날 일

흰 백

말씀 화

기록할 기

2 다음 한자어의 뜻을 바르게 나타낸 것에 ✔표 하세요.

日記

☐ 겪은 일이나 느낌 등을 날마다 적음.

☐ 수첩이나 문서에 적음.

3 다음 문장에 들어갈 말로 어울리는 한자어를 찾아 ◯표 하세요.

새해를 맞아 가족들과 함께
(日記 / 日出)을/를 보며 소원을 빌었습니다.

기초 집중 연습

급수 유형

4 다음 밑줄 친 한자어의 음(소리)을 쓰세요.

(1) 설날은 정월 초하루, **正日** 등으로도 불립니다. ➡ (   )

(2) 용돈 **記入**장을 쓰면 돈을 낭비하지 않을 수 있습니다. ➡ (   )

급수 유형

5 **보기** 와 같이 다음 한자의 뜻과 음(소리)을 쓰세요.

> **보기**
>
> 休 ➡ 쉴 휴

(1) 日 ➡ (   )

(2) 記 ➡ (   )

급수 유형

6 다음 뜻에 맞는 한자어를 **보기** 에서 찾아 그 번호를 쓰세요.

> **보기**
>
> ① 正日   ② 後日   ③ 手記   ④ 日記

(1) 시간이 지나 뒤에 올 날 ➡ (   )

(2) 글이나 글씨를 자기 손으로 씀. 자기의 생활이나 체험을 직접 쓴 기록

➡ (   )

同 門

한가지 동　　　문 문

🔍 다음 글을 읽고, 오늘 배울 한자를 확인해 보세요.

나는 아빠가 졸업하신 초등학교와 같은[同] 초등학교에 다녀요.

그래서 나와 아빠는 동문(同門)이에요.

아빠는 내가 초등학교에 입학했을 때,

내가 아빠와 동문(同門)이라는 사실을 여기저기 자랑하셨어요.

지금까지도 나를 데리러 오실 때면

교문[門] 앞에서 나를 기다리시다가 만나는 모든 사람에게 자랑하세요.

아빠는 정말 못 말려요.

오늘 배울 한자

同 門

한가지 동　　　문 문

한가지 동

모든 사람이 입으로 똑같이 말한다는 데서 한가지 또는 같다를 뜻해요.

QR을 보며 따라 써요!

同	同	同	同	同	同
한가지 동	한가지 동	한가지 동	한가지 동	한가지 동	한가지 동

1주

문 문

두 개의 문짝을 달아 놓은 대문 모양을 나타낸 글자로, 문을 뜻해요.

QR을 보며 따라 써요!

門	門	門	門	門	門
문 문	문 문	문 문	문 문	문 문	문 문

同 한가지 동 | 門 문 문

한자어를 익혀요

천재초등학교 동문(同門)회에 와 주셔서 감사합니다. 다들 좋은 추억 쌓고 가세요.

천재초등학교 동문회

웅성 웅성

아빠, 그럼 저분들은 다 아빠랑 같은 나이예요?

그렇진 않아. 아빠보다 나이 많은 사람도 있고 동생(同生)도 있어.

학교에 가 본 지가 정말 오래됐다. 후문(後門)을 지었다던데.

응, 그렇지. 건물만 좋아진 게 아니야. 훌륭한 선생님들이 많이 오셔서 우리 학교가 명문(名門) 초등학교가 되었어.

천재초등학교 동문회

생각해 보니 딸도 천재초등학교 다닌다고 하지 않았었나?

맞아. 그랬지?

네! 지금 천재초등학교에 다니고 있어요.

나랑 동명(同名)이네. 노을아 반가워, 나도 노을이야.

재초등학교 동문

나랑 동문인데다가 이름도 같고, 예쁜 것까지. 우린 비슷한 점이 참 많구나. 호호.

노을이 쟤는 그때나 지금이나 동일(同一)하구나.

🔍 '同(한가지 동)'과 '門(문 문)'이 들어간 한자어를 알아봅시다.

 同 한가지 동   門 문 문

동생(同生)

生
한가지 동	날 생

뜻 형제자매나 남남끼리의 사이에서 어린 사람을 부르는 말

동문(同門)

同
한가지 동	문 문

뜻 같은 학교를 다녔거나 같은 선생님께 배운 사이

동명(同名)

名
한가지 동	이름 명

뜻 서로 이름이 같음.

후문(後門)

後
뒤 후	문 문

뜻 집의 뒤쪽에 난 문

동일(同一)

一
한가지 동	한 일

뜻 어떤 것과 비교하여 같음.

명문(名門)

名
이름 명	문 문

뜻 이름난 좋은 학교. 훌륭한 집안

同 한가지 동 | 門 문 문　기초 실력을 키워요

한자 확인

1 다음 한자의 뜻과 음(소리)을 쓰세요.

同 ( )을/를 뜻하고, ( )(이) 라고 읽습니다.

門 ( )을/를 뜻하고, ( )(이) 라고 읽습니다.

어휘 확인

2 다음 문장의 뜻에 알맞은 낱말을 찾아 ○표 하세요.

친구와 학교 (명문 / 후문)에서 만나기로 했습니다.

아빠와 나는 같은 학교에 다닌 (동명 / 동문) 사이입니다.

어휘 확인

3 그림 속 내용이 맞으면 '예', 틀리면 '아니요'에 ○표 하세요.

'同生'은 '동문' 이라고 읽습니다.
예
아니요

'後門'은 '집의 뒤쪽에 난 문'을 뜻합니다.
예
아니요

급수 유형

4 다음 밑줄 친 한자어의 음(소리)을 쓰세요.

(1) 선생님은 저와 <u>同名</u>입니다. → (   )

(2) 사촌 <u>同生</u>들이 집에 놀러 왔습니다. → (   )

급수 유형

5 다음 뜻과 음(소리)에 맞는 한자를 보기 에서 찾아 그 번호를 쓰세요.

보기

① 同   ② 後   ③ 名   ④ 門

(1) 한가지 동 → (   )

(2) 문 문 → (   )

급수 유형

6 다음 밑줄 친 낱말에 해당하는 한자어를 보기 에서 찾아 그 번호를 쓰세요.

보기

① 同一   ② 後門   ③ 名門   ④ 同門

(1) 엄마와 아빠는 <u>동문</u>이십니다. → (   )

(2) <u>명문</u> 대학에 들어가기 위해 열심히 공부했습니다. → (   )

弟子

아우 제   아들 자

🔍 다음 글을 읽고, 오늘 배울 한자를 확인해 보세요.

내 친구 태양이는 요즘 형과 함께 공부를 하고 있대요.

태양이의 형은 공부를 가르쳐 줄 때면 늘 엄해지고,

태양이를 동생[弟]이 아닌 제자(弟子)로 대한대요.

태양이는 '형과 나는 둘 다 부모님의 아들[子]인데,

왜 스승과 제자(弟子)가 되려 하는 건지 모르겠다.'라며 불평을 늘어놓았어요.

공부도 가르쳐 주고 잘 놀아 주는 형이 얼마나 소중한지 태양이는 잘 모르나 봐요.

오늘 배울 한자

弟子

아우 제   아들 자

✏️ **연하게 쓰인 한자를 따라 써 본 후, 빈칸에 바르게 쓰세요.**

아우 제

말뚝에 새끼를 둘러 차례를 나타낸 데서 **아우**라는 뜻을 갖게 되었어요.

QR을 보며 따라 써요!

弟	弟	弟	弟	弟	弟
아우 제	아우 제	아우 제	아우 제	아우 제	아우 제

아들 자

어린아이가 두 팔을 벌리고 있는 모습을 본뜬 글자로, **아들**을 뜻해요.

QR을 보며 따라 써요!

子	子	子	子	子	子
아들 자	아들 자	아들 자	아들 자	아들 자	아들 자

1주

弟 아우 제 | 子 아들 자

한자어를 익혀요

다녀왔습니다.

우주야, 왜 이렇게 힘이 없니?

엄마, 오늘 학교에서 태양이가 형이랑 같이 공부하는 게 힘들다고 불평을 했는데요.

평소에는 형이 너무나도 다정하고 잘해 주는데, 공부를 가르쳐 줄 때는 태양이와 사제(師弟) 관계가 돼서 엄하게 대한대요. 그리고 자정(子正)까지 공부하기도 했대요.

아이고, 태양이가 투정을 부릴 만했네.

그래도 전 형제(兄弟)끼리 같이 놀고, 공부도 함께 하는 태양이가 조금 부러웠어요. 누나랑 저는 그렇지 않을 때가 많아요.

그랬구나. 태양이가 그렇게 부럽다면 우리 착한 효자(孝子) 우주가 엄마의 제자(弟子)가 되어 보는 건 어때?

안 돼요!

깜짝

왜?

엄마랑은 지금처럼 사이좋은 모자(母子) 관계를 유지하고 싶어요.

🔍 '弟(아우 제)'와 '子(아들 자)'가 들어간 한자어를 알아봅시다.

 아우 제

 아들 자

사제(師弟)

師	
스승 사	아우 제

뜻 스승과 제자

자정(子正)

'자시(子時)'는 '밤 11시~오전 1시'를 뜻해요.

正	
아들 자	바를 정

뜻 자시의 한가운데. 밤 열두 시

형제(兄弟)

兄	
형 형	아우 제

뜻 형과 아우

효자(孝子)

孝	
효도 효	아들 자

뜻 부모를 잘 섬기는 아들

제자(弟子)

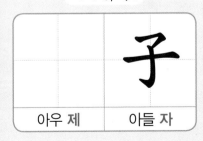

子	
아우 제	아들 자

뜻 스승으로부터 가르침을 받거나 받은 사람

모자(母子)

母	
어머니 모	아들 자

뜻 어머니와 아들

5일

弟 아우 제 | 子 아들 자

기초 실력을 키워요

한자 확인

1 다음 한자의 뜻과 음(소리)으로 알맞은 것을 찾아 ◯표 하세요.

弟

| 아우 제 | 스승 사 |

子

| 손 수 | 아들 자 |

어휘 확인

2 다음 ◯에 공통으로 들어갈 말을 한자로 바르게 나타낸 것에 ∨표 하세요.

- 효◯ : 부모를 잘 섬기는 아들
- ◯정: 자시의 한가운데. 밤 열두 시

☐ 弟

☐ 子

어휘 확인

3 다음에서 '사제(師弟)'의 뜻을 바르게 설명한 것을 찾아 ◯표 하세요.

형과 아우

어머니와 아들

스승과 제자

기초 집중 연습

4 다음 밑줄 친 한자어의 음(소리)을 쓰세요.

(1) <u>子正</u>이 지나면 날짜가 바뀝니다. ➜ (   )

(2) <u>兄弟</u>가 있는 친구들이 부럽습니다. ➜ (   )

5 다음 밑줄 친 낱말에 해당하는 한자어를 보기 에서 찾아 그 번호를 쓰세요.

> **보기**
>
> ① 兄弟   ② 孝子   ③ 弟子   ④ 子正

(1) 엄마는 친척들에게 저를 <u>효자</u>라고 자랑하십니다. ➜ (   )

(2) 스승의 날을 맞아 선생님의 <u>제자</u>들이 학교로 찾아왔습니다. ➜ (   )

6 다음 뜻에 맞는 한자어를 보기 에서 찾아 그 번호를 쓰세요.

> **보기**
>
> ① 弟子   ② 子正   ③ 母子   ④ 兄弟

(1) 형과 아우 ➜ (   )

(2) 어머니와 아들 ➜ (   )

1 다음 한자의 알맞은 뜻과 음(소리)을 골라 선으로 이으세요.

(1) 登 ・ ・ 오르다 ・ ・ 기

(2) 休 ・ ・ 기록하다 ・ ・ 휴

(3) 記 ・ ・ 쉬다 ・ ・ 등

2 다음 한자 카드의 □ 안에 알맞은 한자를 쓰세요.

(1)

아우 제

(2)

한가지 동

3 다음 그림이 나타내는 한자를 선으로 이으세요.

・ 同

・ 校

4 다음 밑줄 친 한자어의 음(소리)을 쓰세요.

거실에 있는 시계는 <u>子正</u>이 되면 소리가 납니다.

→ (   )

5 다음 □ 안에 들어갈 한자어를 보기에서 찾아 그 번호를 쓰세요.

보기
① 同生 ② 同門 ③ 同一

● □□은 정말 사랑스럽습니다.

→ (   )

6 다음 밑줄 친 한자의 음(소리)을 쓰세요.

> 우리 가족은 (1)<u>登</u>산을 좋아해서 (2)<u>休</u>일마다 산에 갑니다.

(1) (   )

(2) (   )

7 다음 한자의 뜻을 보기 에서 찾아 그 번호를 쓰세요.

> 보기
> ① 아우   ② 날   ③ 한가지

(1) 日 → (   )

(2) 弟 → (   )

8 다음 그림과 뜻이 나타내는 한자어에 V 표 하세요.

서로 이름이 같음.

☐ 同一   ☐ 同名

9 다음 밑줄 친 낱말에 해당하는 한자어를 보기 에서 찾아 그 번호를 쓰세요.

> 보기
> ① 母子   ② 同一   ③ 兄弟

● <u>형제</u>는 사이좋게 장난감을 가지고 놉니다. → (   )

10 다음 십자말풀이를 보고 ☐ 안에 들어갈 알맞은 한자를 보기 에서 찾아 그 번호를 쓰세요. → (   )

> 보기
> ① 學   ② 同   ③ 校

등 ☐

☐

가

→ 등☐: 학생이 학교에 감.

↓ ☐가: 학교를 상징하는 노래

📖 국어+한문 다음 만화를 읽고, 성어의 뜻을 생각해 보세요.

登 龍 門
오를 등 　 용 용 　 문 문

◆ 성어의 뜻을 살펴보며 빈칸에 알맞은 한자를 채우세요.

→ 잉어가 중국 황허강의 급류인 '용문'을 오르면 용이 된다는 전설에서 유래한 말로, 어려운 관문을 통과해 크게 출세함. 또는 그 관문을 이르는 말

📖 코딩+한문 규칙 을 보고 물음에 답해 보세요.

규칙

❶ 한자 명령어를 입력하면 다음과 같이 전광판에 불이 켜져요.

  記

 登

日

學

休

弟

校

子

❷ 2개 이상의 명령어를 입력할 경우, 불이 겹쳐지면서 4자리의 숫자가 나타나요.

日 記

1 다음 뜻에 해당하는 한자어를 빈칸에 쓴 후, 규칙에 따라 전광판을 색칠하세요. 그리고 어떤 숫자가 나타났는지 확인해 보세요.

(1) 스승으로부터 가르침을 받거나 받은 사람

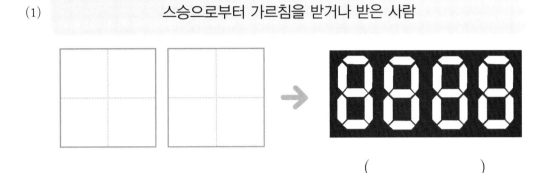

(   )

(2) 일정 기간 동안 학교를 쉬는 일

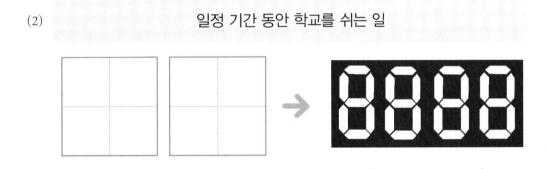

(   )

2 다음 그림에 해당하는 낱말을 명령어로 입력하였을 때, 전광판에 나타나는 숫자로 알맞은 것에 ✔표 하세요.

등교

📖 국어+한문 다음은 노을이가 쓴 그림일기입니다. 일기를 읽고, 밑줄 친 한자어의 음(소리)을 빈칸에 쓰세요.

20△△년 △월 △일 △요일   날 씨: ☀

문구점

오늘은 쉽니다

학교 준비물이었던 용돈 ㉠記入장을 깜빡하고 사지 못했어요. 그래서 ㉡登校하는 길에 준비물을 사려고 학교 ㉢後門 근처에 있는 문구점에 갔어요.

그 문구점은 ㉣休日 없이 매일 문을 여는 문구점이에요. 그런데 그 문구점에 갔더니 개인 사정으로 오늘은 쉰다고 적혀 있었어요. 다른 문구점에 가기에는 시간이 너무 부족했고, 결국 준비물을 사지 못해서 선생님께 혼이 났어요. 다음부터는 꼭 준비물을 전날에 미리 챙겨야겠어요.

㉠ [   ]   ㉡ [   ]

㉢ [   ]   ㉣ [   ]

📖 국어+한문 다음 일기 내용과 일치하는 그림을 찾아 ◯표 하세요.

우리 兄弟는 새해마다 꼭 하는 일이 있어요.
그건 바로 우리끼리 日出을 보러 가는 일이에요.
이번에는 日出을 보기 위해 登山을 했어요.
日出을 보며 가족들이 건강하기를 빌었어요.

1주

( )

( )

( )

( )

2주에는 무엇을 공부할까? ①

탐정 사무소

탐정님들 공주님을 찾아 주세요.

상황을 자세히 말씀해 주세요.

어머, 왕자님?

제가 탄 배가 폭풍을 만나 부서졌을 때 저를 구해 준 공주님을 찾고 싶습니다. 여기 공주님이 남긴 편지예요.

한번 볼까요?

왕자님께

왕자님, 안녕하세요? 며칠 전 수많은 병사를 分班하여 체계적으로 지휘하고 教育하는 왕자님의 모습을 본 후, 저는 왕자님께 첫눈에 반하게 되었습니다.

제가 사는 이곳은 왕자님이 사는 육지와 달라요. 여기도 重力이 있지만, 몸이 자꾸 떠올라서 수영을 못하면 活動하기가 어려워요. 그리고 평소에는 평온하지만, 상어가 나타나면 安全하지 않아요.

제가 보고 싶으시다면 저를 찾아 주세요.

흠, 공주님이 사는 곳에 대한 정보가 편지에 적혀 있군요.

저는 꼭 공주님을 만나고 싶어요. 그녀는 제 생명의 은인이에요.

2주

分班教育
重力安
全動
活

초롱 탐정! 집중해 줘!

그래, 이 편지에 있는 한자들은 배움과 관련된 한자인 것 같아. 한번 같이 읽어 볼까?

왕자님께

　왕자님, 안녕하세요? 며칠 전 수많은 병사를 분반하여 체계적으로 지휘하고 교육하는 왕자님의 모습을 본 후, 저는 왕자님께 첫눈에 반하게 되었습니다.

　제가 사는 이곳은 왕자님이 사는 육지와 달라요. 여기도 중력이 있지만, 몸이 자꾸 떠올라서 수영을 못하면 활동하기가 어려워요. 그리고 평소에는 평온하지만, 상어가 나타나면 안전하지 않아요.

　제가 보고 싶으시다면 저를 찾아 주세요.

수영을 못하면 활동하기가 어렵다? 상어가 나타나면 안전하지 않다? 공주님이 사는 곳은 바다야!

그럼 왕자님을 살려 주신 공주님이 인어 공주님인가 봐!

왕자님 바다에 가 보세요! 공주님의 정체는 인어 공주님이에요! 음? 어디 가셨지?

이미 가셨어. 사랑의 힘은 정말 대단하구나.

✱ 이번 주에 배울 한자가 그림 속에 숨어 있어요. 보기 의 순서대로 한자를 찾아 따라가 왕자님이 공주님을 만날 수 있게 해 주세요.

分 나눌 분 → 班 나눌 반 → 教 가르칠 교 → 育 기를 육 → 重 무거울 중
→ 力 힘 력 → 安 편안 안 → 全 온전 전 → 活 살 활 → 動 움직일 동

分 班

나눌 분　　　나눌 반

🔍 다음 글을 읽고, 오늘 배울 한자를 확인해 보세요.

체육 대회에서 우리 반(班)은 다른 그 어떤 반(班)보다 더 빛났어요.

우리 반(班)이 빛날 수 있었던 이유는 서로를 향한 힘찬 응원 때문이에요.

비록 달리기 시합에서 1등을 하거나 줄다리기 우승은 하지 못했지만,

승패를 떠나 모두 함께 한마음으로 응원했어요.

자리를 떠나지 않고 간식도 함께 나눠[分] 먹으면서 열심히 응원한 덕에

우리 반(班)은 응원상을 받을 수 있었어요.

오늘 배울 한자

分 班
나눌 분　　나눌 반

나눌 분

칼로 사물을 반으로 나눈 것을 나타낸 글자로, 나누다를 뜻해요.

QR을 보며 따라 써요!

分	分	分	分	分	分
나눌 분	나눌 분	나눌 분	나눌 분	나눌 분	나눌 분

나눌 반

칼로 옥을 나누는 모습을 나타낸 글자로, 나누다를 뜻해요.

QR을 보며 따라 써요!

班	班	班	班	班	班
나눌 반	나눌 반	나눌 반	나눌 반	나눌 반	나눌 반

2주

1일

배움 한자

分 나눌 분 | 班 나눌 반

한자어를 익혀요

지난 체육 대회에서 응원상을 받은 기념으로 선생님이 맛있는 음식을 사 줄게요. 반장(班長)이 앞에 나와서 어떤 음식을 함께 먹으면 좋을지 회의를 진행해 보렴.

네!

반명(班名)을 정하기 위해 회의를 했었던 것처럼 의견을 나누며 회의해 보자. 어떤 음식을 먹을까?

떡볶이를 먹자.

치킨을 먹자!

피자는 어때?

웅성

웅성

회의

얘들아, 한 명씩 손을 들고 의견을 내 주면 회의 시간을 십분(十分) 활용해서 분반(分班) 수업 전에 회의를 마칠 수 있어.

사람마다 먹는 속도가 다르니까 공평하게 나눠 먹을 수 있는 음식이면 좋겠어.

그럼 어떤 음식이 좋을까?

피자를 먹는 거 어때? 피자는 맛이 다양해서 모두가 기분(氣分) 좋게 먹을 수 있고, 또 동분(同分) 하기도 쉬울 것 같아.

그게 좋을 것 같아!

맞아.

그래! 그럼 피자를 먹는 걸로 결정 되었습니다!

우리 학생들이 이렇게나 성장했다니.

자, 그럼 무슨 맛 피자를 시킬까?

나는 불고기!

나는 치즈!

휴, 눈물이 쏙 들어가네.

웅성

웅성

회의

나는 고구마!

'分(나눌 분)'과 '班(나눌 반)'이 들어간 한자어를 알아봅시다.

 分 나눌 분

 班 나눌 반

십분(十分)

十	
열 십	나눌 분

뜻 아주 충분히

반장(班長)

'長'은 '우두머리'라는 뜻도 있어요.

	長
나눌 반	긴 장

뜻 반을 대표하는 사람

기분(氣分)

氣	
기운 기	나눌 분

뜻 마음에 생기는 감정 상태

반명(班名)

	名
나눌 반	이름 명

뜻 반의 이름

동분(同分)

同	
한가지 동	나눌 분

뜻 분량을 똑같이 나눔.

분반(分班)

分	
나눌 분	나눌 반

뜻 한 반을 몇 개의 반으로 나눔.

2주

分 나눌 분 | 班 나눌 반

한자 확인

1 다음 한자의 뜻과 음(소리)이 바른 것에 ✔표 하세요.

分

나눌 분 ☐

班

나눌 배 ☐

어휘 확인

2 다음 뜻에 해당하는 한자어를 찾아 선으로 이으세요.

아주 충분히 •

한 반을 몇 개의 반으로
나눔. •

• 十分

• 分班

어휘 확인

3 다음 한자어의 뜻을 바르게 나타낸 것에 ✔표 하세요.

同分

☐ 반의 이름

☐ 분량을 똑같이 나눔.

급수 유형

4 다음 밑줄 친 한자어의 음(소리)을 쓰세요.

(1) 그는 본인의 능력을 <u>十分</u> 활용할 수 있습니다. ➔ (   )

(2) 체육 대회에서 새로 만든 <u>班名</u>으로 응원을 합니다. ➔ (   )

급수 유형

5 다음 뜻과 음(소리)에 맞는 한자를 보기 에서 찾아 그 번호를 쓰세요.

> 보기
>
> ① 有   ② 家   ③ 班   ④ 分

(1) 나눌 분 ➔ (   )

(2) 나눌 반 ➔ (   )

급수 유형

6 다음 뜻에 맞는 한자어를 보기 에서 찾아 그 번호를 쓰세요.

> 보기
>
> ① 氣分   ② 同分   ③ 班長   ④ 分班

(1) 반을 대표하는 사람 ➔ (   )

(2) 마음에 생기는 감정 상태 ➔ (   )

教 育

가르칠 교　　기를 육

🔍 다음 글을 읽고, 오늘 배울 한자를 확인해 보세요.

오늘은 교(教)생 선생님이 식물 기르는[育] 방법에 대해 가르쳐[教] 주셨어요.

식물은 동물과 달리 혼자서 잘 자라는 줄로만 알았는데,

강아지를 돌보는 것처럼 많은 관심과 사랑이 필요하다는 걸 알았어요.

아빠가 집에서 기르시는[育] 화분이 많은데,

저도 아빠를 따라 식물을 길러[育] 봐야겠어요.

화분에 물도 주고, 햇볕 좋은 날에는 햇볕도 볼 수 있게 옮겨 주면서 잘 기를[育] 거예요.

오늘 배울 한자

教 育
가르칠 교　　기를 육

가르칠 교

선생님이 한 손에 회초리를 들고 학생을 지도하는 모습을 나타낸 글자로, **가르치다**를 뜻해요.

QR을 보며 따라 써요!

教	教	教	教	教	教
가르칠 교	가르칠 교	가르칠 교	가르칠 교	가르칠 교	가르칠 교

기를 육

태어난 아이를 보살펴 잘 자라도록 기른다는 뜻을 나타내는 글자로, **기르다**를 뜻해요.

QR을 보며 따라 써요!

育	育	育	育	育	育
기를 육	기를 육	기를 육	기를 육	기를 육	기를 육

2주

2일

배움 한자

教 가르칠 교 | 育 기를 육

한자어를 익혀요

오늘은 교생(教生) 선생님과 수업을 할 거예요.

안녕하세요. 오늘 수업은 교실(教室) 밖에서 할 거예요.

선생님! 그럼 체육(體育) 수업을 하나요?

아니요. 오늘은 식물을 직접 기르고 가꾸는 활동을 해 볼 거예요. 밖으로 나가기 전에 교육(教育) 동영상을 하나 볼까요?

삑

동영상은 어떤 내용이 었나요?

우리 생활에 다양하게 활용되는 식물에 대한 영상 이었어요.

나무를 심고 숲을 가꾸는 육림(育林) 사업에 관한 이야기도 있었어요!

맞아요! 둘 다 잘 봤네요. 이제 우리도 식물을 길러 보면서 식물의 소중함을 알고 책임감도 길러 봐요.

네!

이 앞에 다양한 씨앗들이 있어요. 식물마다 생육(生育) 기간도 다르고 적합한 환경도 다르니까 잘 읽어 보세요.

🔍 '教(가르칠 교)'와 '育(기를 육)'이 들어간 한자어를 알아봅시다.

 가르칠 교

 기를 육

교생(敎生)

生	
가르칠 교	날 생

🔖 학교 현장에서 교육 실습을 하는 사람

체육(體育)

體	
몸 체	기를 육

🔖 운동을 통해 몸을 튼튼하게 하는 일

교실(敎室)

室	
가르칠 교	집 실

🔖 학습 활동이 이루어지는 방

육림(育林)

林	
기를 육	수풀 림

🔖 나무를 심거나 씨를 뿌려 나무를 가꾸는 일

교육(敎育)

育	
가르칠 교	기를 육

🔖 지식 등을 가르치며 인격을 길러 줌.

생육(生育)

生	
날 생	기를 육

🔖 생물이 나서 길러짐. 낳아서 기름.

2주

教 가르칠 교 | 育 기를 육

기초 실력을 키워요

1 다음 한자의 뜻과 음(소리)으로 알맞은 것을 찾아 선으로 이으세요.

教   育

학교 교   가르칠 교   기를 육   집 실

 **어휘 확인**

2 힌트를 보고 다음 빈칸에 들어갈 알맞은 글자를 써넣으세요.

체

생

힌트

• 체[ ] : 운동을 통해 몸을 튼튼하게 하는 일

• 생[ ] : 생물이 나서 길러짐. 낳아서 기름.

 **어휘 확인**

3 다음에서 '교육(教育)'의 뜻을 바르게 설명한 것을 찾아 ◯표 하세요.

나무를 심거나 씨를
뿌려 나무를 가꾸는 일

학습 활동이
이루어지는 방

지식 등을 가르치며
인격을 길러 줌.

급수 유형

4 다음 밑줄 친 한자어의 음(소리)을 쓰세요.

(1) 수업 시간에는 <u>教室</u>에서 떠들면 안 됩니다. → (　　　　　)

(2) 식물의 <u>生育</u> 과정은 온도에 많은 영향을 받습니다. → (　　　　　)

급수 유형

5 보기 와 같이 다음 한자의 뜻과 음(소리)을 쓰세요.

> 보기
>
> 分 → 나눌 분

(1) 教 → (　　　　　)

(2) 育 → (　　　　　)

급수 유형

6 다음 밑줄 친 낱말에 해당하는 한자어를 보기 에서 찾아 그 번호를 쓰세요.

> 보기
>
> ① 教育　　　② 教生　　　③ 生育　　　④ 育林

(1) 새로 오신 <u>교생</u> 선생님과 함께 축구를 했습니다. → (　　　　　)

(2) 봄에 심은 나무에 비료를 주는 등 <u>육림</u> 작업을 했습니다. → (　　　　　)

重 力

무거울 중　　힘 력

🔍 다음 글을 읽고, 오늘 배울 한자를 확인해 보세요.

삼촌네 집에는 엄청나게 큰 강아지 뭉치가 있어요.

뭉치가 어릴 때는 작고 가벼워서 제가 안고 다닐 수 있었어요.

그런데 지금은 너무 커지고 무거워져서[重] 절대 들 수가 없어요.

거기다가 힘[力]도 어찌나 센지 산책을 할 때면 제가 끌려다녀요.

그래도 뭉치는 덩치만 커졌을 뿐 삼촌네 집에 갈 때마다

문 앞까지 나와 나를 반겨 주는 사랑스러운 강아지예요.

오늘 배울 한자

重 力

무거울 중　　힘 력

연하게 쓰인 한자를 따라 써 본 후, 빈칸에 바르게 쓰세요.

무거울 중

등에 무거운 짐을 지고 있다는 뜻을 나타낸 글자로, **무겁다**를 뜻해요.

QR을 보며 따라 써요!

重	重	重	重	重	重
무거울 중	무거울 중	무거울 중	무거울 중	무거울 중	무거울 중

힘 력

밭을 가는 도구의 모양을 본뜬 글자로, **힘**을 뜻해요.

QR을 보며 따라 써요!

力	力	力	力	力	力
힘 력	힘 력	힘 력	힘 력	힘 력	힘 력

안녕! 뭉치야, 누나 왔다!

뭉치야 자중(自重)해 줘. 네가 그렇게 달려들면 넘어진단 말이야. 지난번보다 더 무거워졌네. 이곳이 중력(重力)이 약한 달이었다면 널 가볍게 안아 줄 수 있었겠지?

뭉치가 집에만 있어서 살이 많이 쪘나 보다. 뭉치가 자력(自力)으로 산책을 할 수는 없으니 노을이가 같이 가 줄래?

네, 좋아요! 가자 뭉치야!

뭉치야, 천천히 가. 네가 전력(全力)으로 뛰어다니면 너무 힘들어!

다 다 닷

와! 귀엽다.

소중(所重)한 인형을 쓰다듬듯 머리를 쓰다듬어 볼래?

응......

어머, 덩치만 크지 정말 순한 친구네.

네, 겁도 얼마나 많은데요.

한번은 뭉치가 창문 밖을 보더니 갑자기 식탁 밑에 숨어 버리는 거예요. 그 모습에 저도 무서워져서 창문을 이중(二重)으로 잠갔어요. 알고 보니 창틀에 앉은 참새를 보고 겁먹었던 거였어요.

뭐? 하하하! 너무 귀엽다.

🔍 '重(무거울 중)'과 '力(힘 력)'이 들어간 한자어를 알아봅시다.

重 무거울 중

力 힘 력

자중(自重)

自	
스스로 자	무거울 중

뜻 말과 행동을 조심히 함.

중력(重力)

重	
무거울 중	힘 력

뜻 지구가 물체를 지구의 중심 방향으로 끌어당기는 힘

소중(所重)

所	
바 소	무거울 중

뜻 매우 귀중함.

자력(自力)

自	
스스로 자	힘 력

뜻 자기 혼자의 힘

이중(二重)

二	
두 이	무거울 중

'重'은 '거듭하다'라는 뜻도 있어요.

뜻 두 겹. 거듭함.

전력(全力)

全	
온전 전	힘 력

뜻 온 힘

배움 한자

重 무거울 중 | 力 힘 력

기초 실력을 키워요

1 한자 확인

다음 한자의 뜻과 음(소리)으로 알맞은 것을 찾아 선으로 이으세요.

重 ·   · 무겁다 ·   · 력

力 ·   · 힘 ·   · 중

2 어휘 확인

◯에 알맞은 글자를 넣어 낱말을 만드세요.

지구가 물체를 지구의
중심 방향으로 끌어
당기는 힘

▶ ◯력

온 힘

▶ 전◯

3 어휘 확인

다음 설명에 해당하는 한자어를 찾아 ◯표 하세요.

> 설명
>
> 두 겹. 거듭함.

二重

所重

自重

기초 집중 연습

급수 유형

4 다음 밑줄 친 한자어의 음(소리)을 쓰세요.

(1) 끝까지 긴장을 놓지 말고 **自重**하자. ➜ (　　　　　　)

(2) 어려운 숙제를 **自力**으로 끝냈습니다. ➜ (　　　　　　)

급수 유형

5 다음 밑줄 친 낱말에 해당하는 한자어를 보기 에서 찾아 그 번호를 쓰세요.

보기
　　① 自力　　　② 全力　　　③ 所重　　　④ 重力

(1) 달리기에서 1등을 하기 위해 전력을 다해 뛰었습니다. ➜ (　　　　　　)

(2) 물건이 위에서 아래로 떨어지는 것은 중력 때문입니다. ➜ (　　　　　　)

급수 유형

6 다음 뜻에 맞는 한자어를 보기 에서 찾아 그 번호를 쓰세요.

보기
　　① 自力　　　② 自重　　　③ 所重　　　④ 全力

(1) 매우 귀중함. ➜ (　　　　　　)

(2) 자기 혼자의 힘 ➜ (　　　　　　)

安 全
편안 안　　온전 전

🔍 다음 글을 읽고, 오늘 배울 한자를 확인해 보세요.

자전거를 탈 때 지켜야 할 안전(安全) 수칙에 대해 배웠어요.

첫째, 보호 장비 착용하기

둘째, 안전(安全) 속도 지키기

셋째, 자전거를 타면서 휴대 전화나 이어폰 사용하지 않기

넷째, 횡단보도를 건널 때는 내려서 자전거를 끌고 가기

배운 내용을 생각하며 자전거를 안전(安全)하게 타야겠어요.

오늘 배울 한자

安 全
편안 안　　온전 전

편안 안

집 안에 여자가 있는 모습을 나타낸 글자로, 편안하다라는 뜻이에요.

QR을 보며 따라 써요!

安	安	安	安	安	安
편안 안	편안 안	편안 안	편안 안	편안 안	편안 안

온전 전

흠이 없는 구슬을 온전히 보관한다는 데서 온전하다라는 뜻을 나타내요.

QR을 보며 따라 써요!

全	全	全	全	全	全
온전 전	온전 전	온전 전	온전 전	온전 전	온전 전

安 편안 안 | 全 온전 전

배움 한자

한자어를 익혀요

🔍 '安(편안 안)'과 '全(온전 전)'이 들어간 한자어를 알아봅시다.

 安 편안 안

 全 온전 전

불안(不安)

不	
아닐 불	편안 안

뜻 마음이 편하지 아니하고 조마조마함.

안전(安全)

安	
편안 안	온전 전

뜻 위험이 생기거나 사고가 날 염려가 없음.

편안(便安)

便	
편할 편/똥오줌 변	편안 안

뜻 몸과 마음이 편하여 좋음.

전신(全身)

	身
온전 전	몸 신

뜻 몸의 전체

안심(安心)

	心
편안 안	마음 심

뜻 모든 걱정을 떨쳐 버리고 마음을 편히 가짐.

전국(全國)

	國
온전 전	나라 국

뜻 온 나라

한자 확인

1 다음 한자의 뜻과 음(소리)을 쓰세요.

安 ( )을/를 뜻하고, ( )(이)라고 읽습니다.

全 ( )을/를 뜻하고, ( )(이)라고 읽습니다.

어휘 확인

2 다음 ◯에 공통으로 들어갈 말을 한자로 바르게 나타낸 것에 ✔표 하세요.

- ◯심: 모든 걱정을 떨쳐 버리고 마음을 편히 가짐.

- ◯전: 위험이 생기거나 사고가 날 염려가 없음.

☐ 安

☐ 全

어휘 확인

3 그림 속 내용이 맞으면 '예', 틀리면 '아니요'에 ◯표 하세요.

'便安'은 '불안'이라고 읽습니다.

예

아니요

'全身'은 '몸의 전체'를 뜻합니다.

예

아니요

급수 유형

4 다음 밑줄 친 한자어의 음(소리)을 쓰세요.

(1) 내 꿈은 자전거를 타고 **全國**을 여행하는 것입니다. → (   )

(2) 시험을 앞두고 **不安**에 떨고 있는 동생을 격려해 주었습니다. → (   )

급수 유형

5 다음 뜻과 음(소리)에 맞는 한자를 보기 에서 찾아 그 번호를 쓰세요.

보기
① 安   ② 不   ③ 全   ④ 身

(1) 편안 안 → (   )

(2) 온전 전 → (   )

급수 유형

6 다음 밑줄 친 낱말에 해당하는 한자어를 보기 에서 찾아 그 번호를 쓰세요.

보기
① 不安   ② 安全   ③ 安心   ④ 全身

(1) 자전거를 탈 때는 반드시 안전 장비를 착용합니다. → (   )

(2) 무사히 돌아온 동생을 본 뒤에야 안심할 수 있었습니다. → (   )

活 動

살 활　　움직일 동

🔍 다음 글을 읽고, 오늘 배울 한자를 확인해 보세요.

우연히 텔레비전에서 지진 피해 영상을 보게 되었어요.
영상에서는 지진이 일어난 도시의 전과 후를 비교해서 보여 줬어요.
지진이 일어나기 전에는 활(活)기와 생동(動)감이 넘쳤던 도시였는데,
지진이 일어난 후에는 건물 잔해만 남은 황폐한 모습으로
바뀐 것을 볼 수 있었어요.
실제로 겪어 보지는 않았지만,
지진의 무서움을 알 수 있었어요.

오늘 배울 한자

活 動

살 활　　움직일 동

살 활

물이 힘차게 흘러가는 것을 나타낸 글자로, **살다**를 뜻해요.

QR을 보며 따라 써요!

活	活	活	活	活	活
살 활	살 활	살 활	살 활	살 활	살 활

움직일 동

무거운 물건을 힘써 옮기는 모습을 나타낸 글자로, **움직이다**를 뜻해요.

QR을 보며 따라 써요!

動	動	動	動	動	動
움직일 동	움직일 동	움직일 동	움직일 동	움직일 동	움직일 동

여러분, 안녕하세요?
오늘 저는 여러분께 지진이
일어났을 때 해야 할 행동에 대해
알려 주러 왔어요.

학교에서 지진이
일어났을 때 해야 할 행동
세 가지를 알려 줄 거예요.
잘 기억하세요.

첫째, 책상 밑으로
숨은 뒤 책이나 가방을
활용(活用)하여 머리를
보호해야 해요.

둘째, 절대 개인행동은
하지 말고, 선생님의 안내에
따라 학교 운동장으로
이동해야 해요.

셋째, 전기를
동력(動力)으로 사용하는
엘리베이터는 절대 타지
마세요.

지진은 우리 생활(生活)에서
언제든 발생할 수 있는 재해예요.
우리가 출동(出動)하기 전까지 알려 준
행동을 잘 지키면서 대처하도록 해요.
혹시 질문 있나요?

혹시 지진을 예상할
수 있는 방법은 없나요?
영화에서 주인공이 동물(動物)
들의 행동을 보고 지진을
예상하던데요.

'동물들의 행동을
보고 예상하기'와 같은
방법이 연구되었지만, 아직
확실한 방법은 찾지 못했
다고 해요.

자, 지금부터
지진을 대비할 수 있는 안전 체험
활동(活動)을 시작하도록 하겠어요.
모두 준비됐나요?

네!

'活(살 활)'과 '動(움직일 동)'이 들어간 한자어를 알아봅시다.

 살 활

 움직일 동

활용(活用)

	用
살 활	쓸 용

뜻 충분히 잘 이용함.

동력(動力)

	力
움직일 동	힘 력

뜻 전기 또는 자연에 있는 에너지를 기계적인 에너지로 바꾼 것

생활(生活)

生	
날 생	살 활

뜻 일정한 환경에서 활동하며 살아감.

출동(出動)

出	
날 출	움직일 동

뜻 일정한 목적을 실행하기 위하여 떠남.

활동(活動)

	動
살 활	움직일 동

뜻 몸을 움직여 행동함.

동물(動物)

	物
움직일 동	물건 물

뜻 생물계의 두 갈래 가운데 하나로, 짐승, 물고기, 벌레, 사람 등을 통틀어 이르는 말

5일 **배움 한자**   活 살 활 | 動 움직일 동   **기초 실력을 키워요**

🐷 **한자 확인**

1 다음 한자 카드의 ☐ 안에 들어갈 한자나 한자의 뜻과 음(소리)을 쓰세요.

살 활

→ (   )

動

→ (   )

🐻 **어휘 확인**

2 다음 문장의 뜻에 알맞은 낱말을 찾아 ◯표 하세요.

엄마는 컴퓨터를 (출동 / 활용)해서 그림을 그리십니다.

전기 자동차는 전기를 (동력 / 활동) 으로 사용하는 자동차입니다.

🐻 **어휘 확인**

3 다음 문장의 내용이 맞으면 '예', 틀리면 '아니요'에 ◯표 하세요.

'활동'은 '몸을 움직여 행동함.'을 뜻합니다.

 예   아니요

기초 집중 연습

급수 유형

4 다음 뜻과 음(소리)에 맞는 한자를 [보기]에서 찾아 그 번호를 쓰세요.

> **보기**
>
> ① 江   ② 同   ③ 活   ④ 動

(1) 살 활 → (   )

(2) 움직일 동 → (   )

급수 유형

5 다음 밑줄 친 낱말에 해당하는 한자어를 [보기]에서 찾아 그 번호를 쓰세요.

> **보기**
>
> ① 活動   ② 生活   ③ 動物   ④ 出動

(1) 아빠는 동물을 치료하는 수의사이십니다. → (   )

(2) 친구들과 함께하는 체육 활동이 가장 좋습니다. → (   )

급수 유형

6 다음 밑줄 친 낱말에 해당하는 한자어를 [보기]에서 찾아 그 번호를 쓰세요.

> **보기**
>
> ① 生活   ② 動物   ③ 活動   ④ 出動

(1) 일정한 환경에서 활동하며 살아감. → (   )

(2) 일정한 목적을 실행하기 위하여 떠남. → (   )

1 다음 그림이 나타내는 한자를 선으로 이으세요.

· 重

· 教

2 다음 밑줄 친 한자어의 음(소리)을 쓰세요.

(1) **全力**으로 뛰었던 달리기 시합에서 1등을 하게 되어 (2) **氣分**이 매우 좋습니다.

(1) ( )

(2) ( )

3 다음 한자의 알맞은 뜻과 음(소리)을 골라 선으로 이으세요.

(1) 分 ·   · 기르다 ·   · 분

(2) 安 ·   · 나누다 ·   · 육

(3) 育 ·   · 편안하다 ·   · 안

4 다음 밑줄 친 낱말에 해당하는 한자어를 보기 에서 찾아 그 번호를 쓰세요.

보기
① 班長   ② 十分   ③ 班名

● <u>반장</u> 선거를 진행했습니다.

→ ( )

5 다음 십자말풀이를 보고 ☐ 안에 들어갈 알맞은 한자를 보기 에서 찾아 그 번호를 쓰세요. → ( )

보기
① 活   ② 重   ③ 全

안 ☐

국

→ 안☐ : 위험이 생기거나 사고가 날 염려가 없음.

↓ ☐국: 온 나라

6 다음 설명 에 해당하는 한자어를 ☐ 안을 채워 완성하세요.

설명
> 모든 걱정을 떨쳐 버리고
> 마음을 편히 가짐.

→ ☐ 心

7 보기 와 같이 다음 한자의 뜻과 음(소리)을 쓰세요.

보기
> 門 → 문 문

● 班 → (   )

8 다음 밑줄 친 한자어의 음(소리)을 쓰세요.

> **重力**이 거의 없는 우주에서는
> 공중에 떠다닐 수 있습니다.

→ (   )

9 다음 한자의 뜻을 보기 에서 찾아 그 번호를 쓰세요.

보기
> ① 나누다   ② 움직이다
> ③ 가르치다

(1) 動 → (   )

(2) 分 → (   )

10 다음 ☐ 안에 들어갈 한자어를 보기 에서 찾아 그 번호를 쓰세요.

보기
> ① 活動 ② 氣分 ③ 全身

● 헬멧과 보호대를 착용하여 ☐☐ 을 보호하고 안전하게 인라인스케이트를 탑니다.

→ (   )

📖 국어+한문 다음 만화를 읽고, 성어의 뜻을 생각해 보세요.

愛 之 重 之
사랑 **애** 갈 **지** 무거울 **중** 갈 **지**

◆ 성어의 뜻을 살펴보며 빈칸에 알맞은 한자를 채우세요.

→ '사랑하고 소중히 여긴다.'라는 뜻으로, 어떤 것을 대단히 소중하게 아끼는 모습을 이르는 말

📖 코딩+한문 우주와 노을이는 암호를 사용하여 메신저로 대화하는 재미에 빠졌습니다.
암호표 와 예시 를 참고해 암호를 풀고 빈칸에 들어갈 낱말과 낱말에 해당하는 한자어를
써 보세요.

암호표

ㄱ	ㄴ	ㄷ	ㄹ	ㅁ	ㅂ	ㅅ	ㅇ
1	2	3	4	5	6	7	8

ㅈ	ㅊ	ㅋ	ㅌ	ㅍ	ㅎ	ㅏ	ㅑ
9	10	11	12	13	14	15	16

ㅓ	ㅕ	ㅗ	ㅛ	ㅜ	ㅠ	ㅡ	ㅣ
17	18	19	20	21	22	23	24

예시

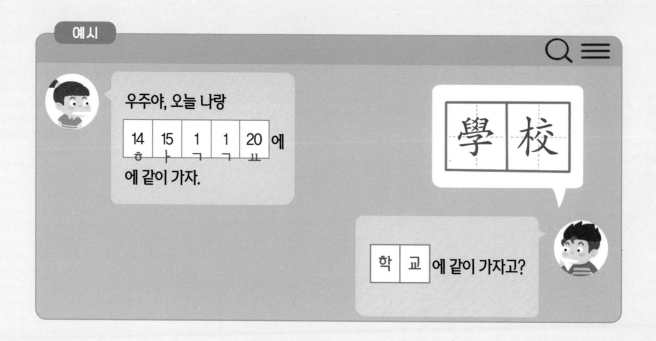

우주야, 오늘 나랑

| 14 | 15 | 1 | 1 | 20 | 에
|---|---|---|---|---|
| ㅎ | ㅏ | ㄱ | ㄱ | ㅛ |

에 같이 가자.

學 校

학 교 에 같이 가자고?

1

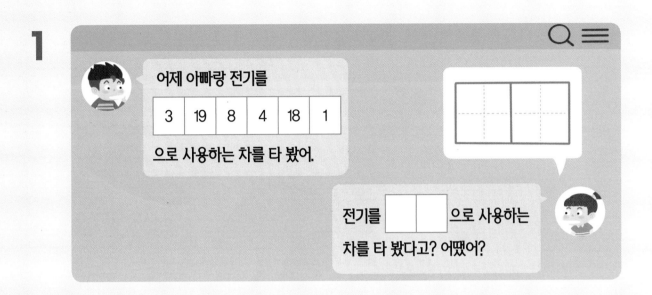

어제 아빠랑 전기를

| 3 | 19 | 8 | 4 | 18 | 1 |

으로 사용하는 차를 타 봤어.

전기를 [ ][ ] 으로 사용하는

차를 타 봤다고? 어땠어?

2

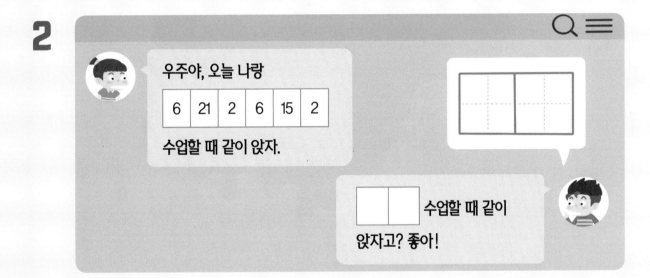

우주야, 오늘 나랑

| 6 | 21 | 2 | 6 | 15 | 2 |

수업할 때 같이 앉자.

[ ][ ] 수업할 때 같이

앉자고? 좋아!

3

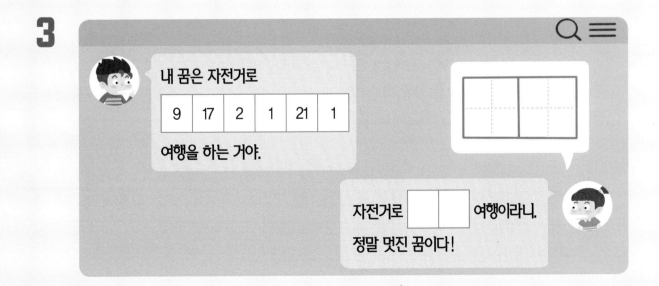

내 꿈은 자전거로

| 9 | 17 | 2 | 1 | 21 | 1 |

여행을 하는 거야.

자전거로 [ ][ ] 여행이라니.

정말 멋진 꿈이다!

📖 과학+한문 다음은 중력에 관해 설명한 글입니다. 글을 읽고, 물음에 답해 보세요.

　우주에 간 우주 비행사들이 공중에서 둥둥 떠다니는 영상을 본 적이 있나요? 어떻게 우주 비행사들은 우주에서 떠다닐 수 있는 걸까요? 그건 바로 중력이 거의 없기 때문이에요. ㉠중력은 지구가 물체를 지구 중심 방향으로 끌어당기는 ㉡힘을 말해요. 우주에 있는 우주 비행사들은 지구의 중력이 닿지 않는 먼 곳에 있기 때문에 떠다닐 수 있어요.

　그럼 중력은 지구에만 있을까요? 그렇지 않아요. 지구의 주위를 돌고 있는 달에도 중력이 있고, 화성과 목성 등 다른 행성에도 중력이 있어요. 그렇지만 행성마다 중력의 크기는 다 달라요. 달의 중력은 지구 중력의 6분의 1, 화성의 중력은 지구 중력의 3분의 1로 알려져 있어요.

1 ㉠의 음(소리)에 해당하는 한자어를 **보기** 에서 찾아 그 번호를 쓰세요.

> **보기**
> ① 重力　　　② 分班　　　③ 活動　　　④ 安全

● ㉠ 중력 → (　　　　　　)

2 ㉡을 뜻하는 한자를 **보기** 에서 찾아 그 번호를 쓰세요.

> **보기**
> ① 重　　② 教　　③ 力　　④ 育

● ㉡ 힘 → (　　　　　　)

3 중력에 대한 설명으로 옳은 것은 어느 것입니까?　(　　　　　)

① 중력은 지구에만 있습니다.
② 달과 지구의 중력 크기는 같습니다.
③ 중력은 지구 중심 방향으로 작용합니다.
④ 달의 중력은 지구 중력의 4분의 1입니다.

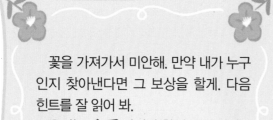

꽃을 가져가서 미안해. 만약 내가 누구인지 찾아낸다면 그 보상을 할게. 다음 힌트를 잘 읽어 봐.

우리는 千百 마리가 함께 모여 살아.

우리가 돌아다닐 때는 적은 數로 움직이는데, 萬一 누군가가 공격받으면 모두가 힘을 합쳐 맞서 싸우기도 해.

우리가 살고 있는 집은 六角형이고, 電算으로 처리한 것처럼 小數점 하나 까지 오차 없는 과학적이고 완벽한 집이야.

우선 쪽지에 쓰인 한자들은 수에 관련된 한자들인 것 같아.

그럼 같이 읽어 보자.

꽃을 가져가서 미안해. 만약 내가 누구인지 찾아낸다면 그 보상을 할게. 다음 힌트를 잘 읽어 봐.

우리는 천백 마리가 함께 모여 살아.

우리가 돌아다닐 때는 적은 수로 움직이는데, 만일 누군가가 공격받으면 모두가 힘을 합쳐 맞서 싸우기도 해.

우리가 살고 있는 집은 육각형이고, 전산으로 처리한 것처럼 소수점 하나 까지 오차 없는 과학적이고 완벽한 집이야.

모두 모여 살고……. 집이 육각형으로 이루어져 있다? 알았다. 꽃 도둑은 꿀벌이야!

맞아. 꿀벌에게 가 보자!

왜 꽃을 가져갔어!

미안, 맛있는 꿀을 얻기 위해서는 어쩔 수 없었어. 대신 너에게 과학적이고 완벽한 육각형 집을 지어 줄게.

나에게 그런 집은 필요없다고!

3주

✱ 이번 주에 배울 한자들이 그림 속에 숨어 있어요. 보기 를 참고해서 한자를 찾아 ◯표 하고, 꿀벌 중 꽃을 들고 있는 꽃 도둑을 찾아 ☆표 하세요.

百 일백 **백**	千 일천 **천**	萬 일만 **만**	一 한 **일**	小 작을 소
數 셈 **수**	六 여섯 **륙**	角 뿔 **각**	電 번개 **전**	算 셈 **산**

百 千

일백 백 **일천 천**

🔍 다음 글을 읽고, 오늘 배울 한자를 확인해 보세요.

천(千)년의 역사 속에서 사용되어 왔던 한자는 백(百)성들이 배우기에 무척 어려웠어요.

그래서 세종대왕은 모든 백(百)성이 쉽게 배울 수 있는

문자를 만들어야겠다고 생각했어요.

세종대왕은 뛰어난 학자들과 함께 한글을 만들었고,

한글 덕분에 백(百)성들은 쉽게 글을 쓰고, 읽을 수 있게 되었어요.

수백(百) 년이 지난 지금, 우리가 이렇게 한글로 공부하고

책을 읽을 수 있는 것도 세종대왕 덕분이에요.

감사합니다. 세종대왕님!

오늘 배울 한자

百 千

일백 백 일천 천

연하게 쓰인 한자를 따라 써 본 후, 빈칸에 바르게 쓰세요.

일백 백

'희다'라는 뜻을 가진 '백(白)'에 '일(一)'을 더한 글자로, **일백**을 뜻해요.

QR을 보며 따라 써요!

百	百	百	百	百	百
일백 백	일백 백	일백 백	일백 백	일백 백	일백 백

일천 천

사람이 일천 명 있다는 데서 **일천**이라는 뜻을 나타내요.

QR을 보며 따라 써요!

千	千	千	千	千	千
일천 천	일천 천	일천 천	일천 천	일천 천	일천 천

3주

百 일백 백 | 千 일천 천

한자어를 익혀요

우주야, 백성(百姓)들에게 가장 필요한 것이 무엇이라 생각하느냐.

세종대왕님? 음······. 많은 음식과 백과(百果)라고 생각해요.

아니다.

그럼, 천금(千金)을 주고도 사지 못할 금은보화일 것 같아요.

그것도 아니다. 백성들에게 가장 필요한 것은 천백(千百) 가지 비싼 물건이 아닌 바로 우리의 고유 문자이다.

나는 천년(千年)의 역사 속에서 줄곧 사용해 왔던 한자 대신에 백성들이 배우기 쉬운 우리나라의 문자를 만들기 위해 백방(百方)으로 노력할 것이다.

저도 세종대왕님을 돕겠습니다!

우주야, 일어나!

세종대왕님?

벌떡

우리 우주가 꿈에서 세종대왕을 만났었나 보네. 그럼 우주가 다음 시간까지 세종대왕의 업적을 조사해서 친구들에게 알려 주렴.

네?

하하

하하

'百(일백 백)'과 '千(일천 천)'이 들어간 한자어를 알아봅시다.

 일백 백

 일천 천

백성(百姓)

| 일백 백 | 성 성 |

뜻 옛날에 국민을 이르던 말

천금(千金)

| 일천 천 | 쇠 금/성 김 |

뜻 많은 돈이나 비싼 가격

백과(百果)

| 일백 백 | 실과 과 |

뜻 온갖 과일

천백(千百)

| 일천 천 | 일백 백 |

뜻 천 또는 백이라는 뜻으로, 많은 수를
이르는 말

백방(百方)

| 일백 백 | 모 방 |

뜻 여러 가지 방법

천년(千年)

| 일천 천 | 해 년 |

뜻 오랜 세월

百 일백 백 | 千 일천 천

기초 실력을 키워요

😊 한자 확인

1 다음 한자의 뜻과 음(소리)이 바른 것에 V표 하세요.

| 일만 만 | ☐ | 일천 천 | ☐ |

🐻 어휘 확인

2 다음 ◯ 에 공통으로 들어갈 말을 한자로 바르게 나타낸 것에 V표 하세요.

• ◯ 성: 옛날에 국민을 이르던 말

• ◯ 방: 여러 가지 방법

☐ 百

☐ 千

🐻 어휘 확인

3 다음에서 '천백(千百)'의 뜻을 바르게 설명한 것을 찾아 ◯표 하세요.

| 오랜 세월 | 많은 돈이나 비싼 가격 | 천 또는 백이라는 뜻으로, 많은 수를 이르는 말 |

급수 유형

4 다음 밑줄 친 한자어의 음(소리)을 쓰세요.

(1) <u>千金</u>을 준다고 해도 이것을 줄 수 없습니다. → (   )

(2) 문제를 해결하기 위해 <u>百方</u>으로 노력하고 있습니다. → (   )

급수 유형

5 보기 와 같이 다음 한자의 뜻과 음(소리)을 쓰세요.

보기

答 → 대답 답

(1) 百 → (   )

(2) 千 → (   )

급수 유형

6 다음 뜻에 맞는 한자어를 보기 에서 찾아 그 번호를 쓰세요.

보기

① 百姓   ② 千百   ③ 千年   ④ 百方

(1) 오랜 세월 → (   )

(2) 옛날에 국민을 이르던 말 → (   )

3주

萬 一

일만 만   한 일

🔍 다음 글을 읽고, 오늘 배울 한자를 확인해 보세요.

가족과 함께 미국으로 여행을 떠나기 전부터 걱정이 많았어요.

'만일(萬一) 외국인이 먼저 말을 걸면 뭐라고 대답하지?'

'만일(萬一) 내가 사고 싶은 기념품이 없으면 어떻게 하지?'

'만일(萬一) 엄마, 아빠를 길에서 잃어버리면 어떻게 해야 하지?'

이런저런 걱정이 많았지만, 여행에 필요한 물건들을 꼼꼼히 하나[一]씩 챙겨

여행 갈 준비를 잘 마쳤어요.

설렘 반, 걱정 반으로 떠나는 나의 첫 해외여행을

별일 없이 무사히 다녀왔으면 좋겠어요.

오늘 배울 한자

萬 一
일만 만   한 일

✏️ **연하게 쓰인 한자를 따라 써 본 후, 빈칸에 바르게 쓰세요.**

일만 만

전갈의 모양을 본뜬 글자로, 알을 많이 낳는다고 하여 많은 수 또는 **일만**을 뜻해요.

QR을 보며 따라 써요!

萬	萬	萬	萬	萬	萬
일만 만	일만 만	일만 만	일만 만	일만 만	일만 만

한 일

막대기 하나를 옆으로 눕힌 모양으로, **하나**를 뜻해요.

QR을 보며 따라 써요!

一	一	一	一	一	一
한 일	한 일	한 일	한 일	한 일	한 일

3주

萬 일만 만 | 一 한 일

한자어를 익혀요

한국에 도착했다! 우주야, 첫 해외여행이 었는데 어땠어?

정말 재밌었어요!

여행 가기 전에는 '만일(萬一)' 이라는 말을 반복하며 걱정하더니.

일생(一生)을 한국에서 쭉 살았던 제가 비행기로 일일(一日)이나 걸리는 나라에 처음 여행을 가는데 얼마나 걱정이 많았겠어요.

맞아. 엄마도 처음 해외여행을 갈 땐 걱정이 많았단다. 만전(萬全)을 기해서 짐을 챙겼지. 하지만 걱정하던 모든 게 별거 아니 었다는 걸 알 수 있었어.

맞아요. 다음에는 조금 더 마음 편하게 갈 수 있을 것 같아요.

시간이 부족해서 만물(萬物)상에서 기념품을 못 샀던 게 너무 아쉬워요.

우주는 아직 어리니까 앞으로 외국에 나갈 날이 훨씬 많을 거야. 이번에 얻은 경험으로 다음에는 여유롭게 더 많은 걸 봤으면 좋겠구나.

네! 이번 여행을 계기로 여행이 더 이상 두렵지 않아요. 어른이 되면 만국(萬國)을 여행할 거예요.

🔍 '萬(일만 만)'과 '一(한 일)'이 들어간 한자어를 알아봅시다.

 萬 일만 만

 一 한 일

만전(萬全)

| 일만 만 | 온전 전 |

🔸 조금도 허술함이 없이 아주 완전함.

만일(萬一)

| 일만 만 | 한 일 |

🔸 혹시 있을지도 모르는 뜻밖의 경우

만물(萬物)

| 일만 만 | 물건 물 |

🔸 세상에 있는 모든 것. 갖가지 수많은 물건

일생(一生)

| 한 일 | 날 생 |

🔸 한평생 또는 세상에 태어나서 죽을 때까지의 동안

만국(萬國)

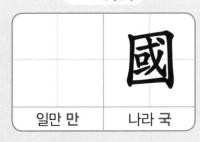

| 일만 만 | 나라 국 |

🔸 세계의 모든 나라

일일(一日)

| 한 일 | 날 일 |

🔸 하루. 어떤 달의 첫째 날

한자 확인

1 다음 한자의 뜻과 음(소리)으로 알맞은 것을 찾아 선으로 이으세요.

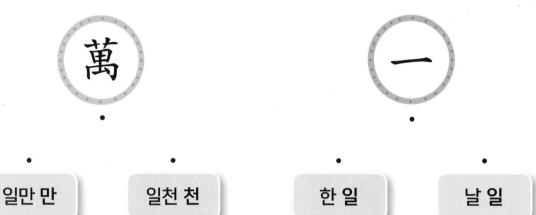

萬 · · 일만 만 · 일천 천

一 · · 한 일 · 날 일

어휘 확인

2 다음 설명 에 해당하는 한자어를 찾아 ○표 하세요.

> 설명
>
> 혹시 있을지도 모르는 뜻밖의 경우

萬一   萬國   萬全

어휘 확인

3 그림 속 내용이 맞으면 '예', 틀리면 '아니요'에 ○표 하세요.

'만물'은 '세상에 있는 모든 것. 갖가지 수많은 물건'을 뜻합니다.   예   아니요

'一日'은 '일월'이라고 읽습니다.   예   아니요

급수 유형

4 다음 밑줄 친 한자어의 음(소리)을 쓰세요.

(1) 아빠는 <u>萬一</u>을 대비해서 항상 안전 운전을 하십니다. → (   )

(2) 할머니께서는 <u>一生</u> 동안 모으신 돈을 기부하셨습니다. → (   )

급수 유형

5 다음 뜻과 음(소리)에 맞는 한자를 보기 에서 찾아 그 번호를 쓰세요.

> 보기
>
> ① 一   ② 百   ③ 千   ④ 萬

(1) 일만 만 → (   )

(2) 한 일 → (   )

급수 유형

6 다음 밑줄 친 낱말에 해당하는 한자어를 보기 에서 찾아 그 번호를 쓰세요.

> 보기
>
> ① 萬國   ② 萬全   ③ 一日   ④ 一生

(1) 매월 <u>일일</u>마다 청소 당번이 바뀝니다. → (   )

(2) 장군과 병사들은 <u>만전</u>의 준비를 마쳤습니다. → (   )

3일

수 한자

小 數

작을 소   셈 수

🔍 다음 글을 읽고, 오늘 배울 한자를 확인해 보세요.

아빠와 함께 마라톤 대회 중계방송을 봤어요.
마라톤 대회에 참가한 수(數)많은 사람 사이에서
체격이 작고[小] 마른 선수가 몸을 풀고 있는 모습이 보였어요.
아빠는 저 선수가 우승할 것 같다고 말씀하셨어요.
나는 그 이야기를 믿지 못했지만, 놀랍게도 아빠의 말대로
그 선수가 모든 이를 제치고 우승을 차지했어요.
그 선수를 보며 겉모습으로 사람을 판단한 나 자신이
부끄럽기도 하고, 나도 마라톤에 한번 참가해
보고 싶다는 생각도 들었어요.
오늘부터 아빠와 함께 달리기 훈련을
시작해야겠어요.

오늘 배울 한자

小 數

작을 소   셈 수

연하게 쓰인 한자를 따라 써 본 후, 빈칸에 바르게 쓰세요.

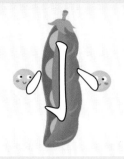

작을 소

작은 조각이 튀는 모습을 나타낸 글자로, **작다**를 뜻해요.

QR을 보며 따라 써요!

小	小	小	小	小	小
작을 소	작을 소	작을 소	작을 소	작을 소	작을 소

셈 수

짐을 막대기로 쳐 가며 셈을 한다는 데서 **셈하다**라는 뜻을 나타내요.

QR을 보며 따라 써요!

數	數	數	數	數	數
셈 수	셈 수	셈 수	셈 수	셈 수	셈 수

3주

우주야, 힘을 내서 같이 뛰어 보자!

아빠, 수백(數百) 명과 함께 달리는 마라톤이 처음이라 조금 어색해요.

항상 자신감 넘치던 우리 아들이 왜 이렇게 소심(小心)해졌지? 아빠가 우주 옆에서 뛸 테니까 너무 걱정하지마. 그리고 목이 말라도 물은 소분(小分)해서 마셔야 해. 알았지?

탕~!

△△ 가족 마라톤 대회

결 승 선

혁

와, 소수(小數)점 아래 둘째 자리까지 시간이 나오네.

어? 우리 우주 표정이 왜 그래?

02:30'45

크흑~

수년(數年)간 마라톤을 뛴 사람들이랑 처음 참가한 우주를 비교하면 안 돼. 첫 마라톤을 완주한 것만 해도 대단한 거야.

아빠, 그게 아니고 소소(小小)한 문제가 있어요.

무슨 문제?

긴장이 풀렸더니 오줌이 마려워요. 그런데 힘이 없어서 화장실을 못 가겠어요.

부들 부들

'小(작을 소)'와 '數(셈 수)'가 들어간 한자어를 알아봅시다.

 작을 소

 셈 수

소심(小心)

	心
작을 소	마음 심

뜻 조심성이 많음. 마음 씀씀이가 작음.

수백(數百)

	百
셈 수	일백 백

뜻 백의 여러 배가 되는 수

소분(小分)

	分
작을 소	나눌 분

뜻 작게 나눔. 또는 그런 부분

소수(小數)

小	
작을 소	셈 수

뜻 0.1과 같이 일의 자리보다 작은 자리의 값을 가진 수

소소(小小)

작을 소	작을 소

뜻 작고 대수롭지 않은

수년(數年)

	年
셈 수	해 년

뜻 두서너 해. 또는 대여섯 해

3주

3일

수 한자

小 작을 소 | 數 셈 수

기초 실력을 키워요

🐻 한자 확인

1 다음 한자 카드의 ☐ 안에 들어갈 한자나 한자의 뜻과 음(소리)을 쓰세요.

작을 소

→ (   )

數

→ (   )

🐻 어휘 확인

2 다음 뜻에 해당하는 한자어을 찾아 선으로 이으세요.

조심성이 많음.
마음 씀씀이가 작음.   •

작고 대수롭지 않은   •

• 小小

• 小心

🐻 어휘 확인

3 다음 한자어의 뜻을 바르게 나타낸 것에 ∨표 하세요.

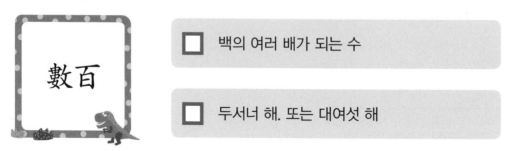

數百

☐ 백의 여러 배가 되는 수

☐ 두서너 해. 또는 대여섯 해

급수 유형

4 다음 뜻과 음(소리)에 맞는 한자를 보기 에서 찾아 그 번호를 쓰세요.

보기
① 數　　② 所　　③ 小　　④ 登

(1) 작을 소 → (　　　　　　)

(2) 셈 수 → (　　　　　　)

급수 유형

5 다음 밑줄 친 낱말에 해당하는 한자어를 보기 에서 찾아 그 번호를 쓰세요.

보기
① 小分　　② 數年　　③ 小數　　④ 數百

(1) 집을 떠난 지 벌써 <u>수년</u>이 지났습니다. → (　　　　　　)

(2) 그는 가진 식량을 <u>소분</u>해 저장했습니다. → (　　　　　　)

급수 유형

6 다음 뜻에 맞는 한자어를 보기 에서 찾아 그 번호를 쓰세요.

보기
① 數年　　② 小數　　③ 小心　　④ 數百

(1) 백의 여러 배가 되는 수 → (　　　　　　)

(2) 0.1과 같이 일의 자리보다 작은 자리의 값을 가진 수 → (　　　　　　)

3주

수 한자

六 角

여섯 **륙**   뿔 **각**

🔍 다음 글을 읽고, 오늘 배울 한자를 확인해 보세요.

꿀벌에 대한 책을 읽었는데,

꿀벌은 '여섯[六]'과 관련이 깊은 곤충 같아요.

우선 꿀벌은 다리가 여섯[六] 개예요.

그리고 벌집은 육각(六角)형으로 이루어져 있어요.

꿀벌이 벌집을 육각(六角)형으로 짓는 이유는

육각(六角)형으로 만든 집이 더 튼튼하고 안정적이어서

꿀을 더 많이 저장할 수 있기 때문이래요.

오늘 배울 한자

六 角

여섯 **륙**   뿔 **각**

여섯 륙

여섯이라는 뜻이에요. 낱말의 맨 앞에 올 때는 육이라고 읽어요.

QR을 보며 따라 써요!

六	六	六	六	六	六
여섯 륙	여섯 륙	여섯 륙	여섯 륙	여섯 륙	여섯 륙

3주

뿔 각

짐승의 뿔 모양을 나타낸 글자로, 뿔을 뜻해요.

QR을 보며 따라 써요!

角	角	角	角	角	角
뿔 각	뿔 각	뿔 각	뿔 각	뿔 각	뿔 각

와! 보통 건물은 직각(直角)으로 된 사각(四角)형 모양인데, 여기 건물은 모양이 정말 특이하다.

그러게. 벌집 같아.

얘들아, 인사해. 나와 육촌(六寸) 사이인 꿀벌 박사님이야.

안녕하세요?

안녕, 얘들아.

왜 꿀벌 박사님이에요?

나는 꿀벌을 연구하는 과학자거든.

저도 꿀벌에 대해 조금 알아요! 꿀벌은 작은 육각(六角)형으로 이루어진 집에 살고요. 다리가 여섯 개예요!

오, 맞아. 책을 읽어 봤구나. 하지만 방금 말한 것은 빙산의 일각(一角)이란다. 꿀벌은 알면 알수록 정말 놀라운 생명체야.

언제부터 꿀벌에 관심이 생기셨어요?

초등학교 때 처음 관심을 가졌던 것 같아. 나중에 육십(六十) 세가 넘어서도 꿀벌에 관한 연구를 계속하고 싶어.

정말 꿀벌을 많이 사랑하시는 것 같아요. 혹시 여기 꿀도 있나요? 제가 꿀을 정말 좋아해서요.

🔍 '六(여섯 륙)'과 '角(뿔 각)'이 들어간 한자어를 알아봅시다.

육촌(六寸)

| 여섯 륙 | 마디 촌 |

💬 '六'이 낱말의 맨 앞에 올 때 '육'이라고 읽어요

뜻 사촌의 자녀끼리의 촌수

직각(直角)

| 곧을 직 | 뿔 각 |

뜻 두 직선이 만나서 이루는 90도의 각

육각(六角)

| 여섯 륙 | 뿔 각 |

뜻 여섯 개의 직선에 싸인 평면

사각(四角)

| 넉 사 | 뿔 각 |

뜻 네 개의 각. 또는 네 개의 선분으로 둘러싸인 평면

육십(六十)

| 여섯 륙 | 열 십 |

뜻 60. 10을 여섯 번 더한 수

일각(一角)

| 한 일 | 뿔 각 |

뜻 한 귀퉁이. 한 방향

3주

한자 확인

1 다음 그림에 해당하는 한자를 찾아 ◯표 하세요.

六   七   角   手

어휘 확인

2 ◯에 알맞은 글자를 넣어 낱말을 만드세요.

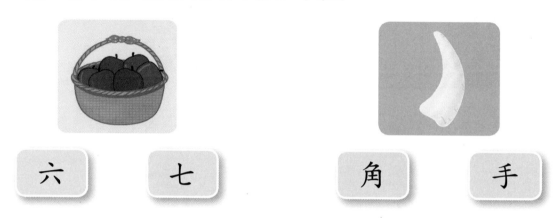

여섯 개의
직선에 싸인 평면 ▶ ◯각

두 직선이 만나서
이루는 90도의 각 ▶ 직◯

어휘 확인

3 다음 문장의 내용이 맞으면 '예', 틀리면 '아니요'에 ◯표 하세요.

'일각(一角)'은 '한 귀퉁이. 한 방향'을
뜻합니다.

예   아니요

기초 집중 연습

급수 유형

2 다음 밑줄 친 한자어의 음(소리)을 쓰세요.

(1) <u>六寸</u>은 사촌의 자녀끼리의 촌수입니다. → (   )

(2) <u>四角</u>기둥 모양의 블록을 쌓아 올렸습니다. → (   )

급수 유형

5 보기 와 같이 다음 한자의 뜻과 음(소리)을 쓰세요.

> 보기
>
> 數 → 셈 수

(1) 六 → (   )

(2) 角 → (   )

급수 유형

6 다음 밑줄 친 낱말에 해당하는 한자어를 보기 에서 찾아 그 번호를 쓰세요.

> 보기
>
> ① 直角   ② 六角   ③ 六十   ④ 六寸

(1) 이 광물은 <u>육각</u>의 모양을 하고 있습니다. → (   )

(2) 사촌 동생은 태어난 지 <u>육십일</u>이 되었습니다. → (   )

電 算
번개 전   셈 산

🔍 다음 글을 읽고, 오늘 배울 한자를 확인해 보세요.

컴퓨터는 냉장고, 텔레비전과 같이 우리 생활에 많은 도움을 주는
가전(電)제품 중 하나예요.
덧셈[算], 뺄셈[算]과 같은 단순한 계산(算)부터 복잡한 계산(算)까지
모두 컴퓨터 덕분에 빠르게 할 수 있게 되었어요.
컴퓨터를 이용해서 공부를 하거나 집에서 수업을 들을 수 있고,
또 컴퓨터로 게임을 하거나 영화도 보며 재미있게 놀 수도 있어요.
그렇지만 오랫동안 컴퓨터만 하게 되면 해야 할 일을 못하게 되니까
컴퓨터를 사용할 때는 시간 계획을 세워 사용해야 해요.

오늘 배울 한자

電 算
번개 전   셈 산

번개 전

번개가 칠 때 구름 사이로 나타나는 번갯불의 모양을 그린 글자로, **번개**, **전기**를 뜻해요.

QR을 보며 따라 써요!

電	電	電	電	電	電
번개 전	번개 전	번개 전	번개 전	번개 전	번개 전

셈 산

대나무 가지를 가지고 수를 셈한다는 데서 **셈하다**라는 뜻을 나타내요.

QR을 보며 따라 써요!

算	算	算	算	算	算
셈 산	셈 산	셈 산	셈 산	셈 산	셈 산

엄마, 컴퓨터를 새로 사야 할 것 같아요. 컴퓨터로 수업을 듣거나 과제할 때마다 느려서 답답해요.

컴퓨터가 조금 오래되긴 했지. 노을이 산수(算數) 연습 문제는 다 풀었니?

네, 다 했죠! 그리고 제가 사고 싶은 컴퓨터도 찾아 놨어요.

정말 빨리 했네? 그래, 가전(家電)제품 매장으로 가자.

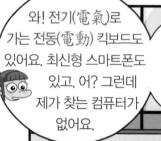

와! 전기(電氣)로 가는 전동(電動) 킥보드도 있어요. 최신형 스마트폰도 있고. 어? 그런데 제가 찾는 컴퓨터가 없어요.

직원분께 한번 여쭤 보자.

이 컴퓨터는 어디에 있어요?

잠깐만요. 기다리고 계시면 제가 전산(電算) 시스템에 검색해서 바로 찾아 드릴게요.

찾으시는 컴퓨터 여기 있습니다.

네, 이걸로 살게요. 계산해 주세요. 공부 열심히 해야 한다.

네! 엄마 멋쟁이!

신난다!

뿅 뾰뿅 ♪

어휴, 저럴 심산(心算)이었구나.

🔍 '電(번개 전)'과 '算(셈 산)'이 들어간 한자어를 알아봅시다.

 번개 전

 셈 산

가전(家電)

집 가	번개 전

😊 가정에서 사용하는 전기 제품

산수(算數)

셈 산	셈 수

😊 계산하는 방법

전기(電氣)

번개 전	기운 기

😊 전자나 이온의 움직임 때문에 생기는 에너지의 한 형태

전산(電算)

번개 전	셈 산

😊 전자 회로를 이용해 계산하는 일. 컴퓨터를 이용하여 정보 처리를 하는 일

전동(電動)

번개 전	움직일 동

😊 전기로 움직임. 전력을 동력으로 함.

심산(心算)

마음 심	셈 산

😊 마음속으로 하는 궁리나 계획

5일

수 한자

電 번개 전 | 算 셈 산

기초 실력을 키워요

한자 확인

1 다음 한자의 뜻과 음(소리)으로 알맞은 것을 찾아 선으로 이으세요.

電 ·

· 셈하다 ·

· 산

算 ·

· 번개 ·

· 전

어휘 확인

2 다음 문장의 뜻에 알맞은 낱말을 찾아 ◯표 하세요.

(전산 / 심산) 시스템 오류 때문에 카드 대신 현금으로 계산하였습니다.

정전이 되면 (전기 / 산수)를 사용하는 가전제품을 쓸 수 없습니다.

어휘 확인

3 힌트를 보고 다음 빈칸에 들어갈 알맞은 글자를 써넣으세요.

☐ 산

☐ 동

힌트
- ☐산: 전자 회로를 이용해 계산하는 일. 컴퓨터를 이용하여 정보 처리를 하는 일
- ☐동: 전기로 움직임. 전력을 동력으로 함.

급수 유형

4 다음 뜻과 음(소리)에 맞는 한자를 보기 에서 찾아 그 번호를 쓰세요.

보기
　　　① 角　　　② 電　　　③ 算　　　④ 數

(1) 번개 전 → (　　　　　　)

(2) 셈 산 → (　　　　　　)

급수 유형

5 다음 밑줄 친 낱말에 해당하는 한자어를 보기 에서 찾아 그 번호를 쓰세요.

보기
　　　① 算數　　　② 電算　　　③ 家電　　　④ 電氣

(1) 엄마는 어릴 때부터 산수를 잘하셨습니다. → (　　　　　　)

(2) 가전제품이 오래되고 낡아서 새것으로 바꿨습니다. → (　　　　　　)

급수 유형

6 다음 뜻에 맞는 한자어를 보기 에서 찾아 그 번호를 쓰세요.

보기
　　　① 電算　　　② 電氣　　　③ 電動　　　④ 心算

(1) 마음속으로 하는 궁리나 계획 → (　　　　　　)

(2) 전자나 이온의 움직임 때문에 생기는 에너지의 한 형태 → (　　　　　　)

1 다음 그림이 나타내는 한자를 선으로 이으세요.

· 千
· 百

2 다음 밑줄 친 낱말에 해당하는 한자어를 보기에서 찾아 그 번호를 쓰세요.

보기

① 千金 ② 數年 ③ 千百

● 몽이는 <u>천금</u>과도 바꿀 수 없는 소중한 제 강아지입니다.

→ (   )

3 보기와 같이 다음 한자의 뜻과 음(소리)을 쓰세요.

보기

安 → 편안 안

● 算 → (   )

4 다음 십자말풀이를 보고 ☐ 안에 들어갈 알맞은 한자를 보기에서 찾아 그 번호를 쓰세요. → (   )

보기
① 萬   ② 算   ③ 小

| ☐ | 소 |
| 심 | |

→ ☐소: 작고 대수롭지 않은

↓ ☐심: 조심성이 많음. 마음 씀씀이가 작음.

5 다음 밑줄 친 한자의 음(소리)을 쓰세요.

만(1) 一의 상황을 대비해 (2) 萬전을 기해야 합니다.

(1) (   )

(2) (   )

6 다음 한자의 알맞은 뜻과 음(소리)을 골라 선으로 이으세요.

(1) 數 ・　・ 작다　・　・ 전

(2) 小 ・　・ 셈하다　・　・ 소

(3) 電 ・　・ 번개　・　・ 수

7 다음 ☐ 안에 들어갈 한자어를 **보기** 에서 찾아 그 번호를 쓰세요.

보기
① 算數　② 電氣　③ 小心

● ☐☐ 가 끊겨 냉장고의 아이스크림이 녹았습니다.

→ (　　　　　　)

8 다음 한자의 뜻을 **보기** 에서 찾아 그 번호를 쓰세요.

보기
① 뿔　② 여섯　③ 일천

(1) 六 → (　　　　　　)

(2) 角 → (　　　　　　)

9 다음 한자 카드의 ☐ 안에 알맞은 한자의 뜻과 음(소리)을 쓰세요.

(1)

萬
☐

(2)

電
☐

10 다음 **설명** 에 해당하는 한자어를 ☐ 안을 채워 완성하세요.

설명
여러 가지 방법

→ ☐ 方

📖 국어+한문 다음 만화를 읽고, 성어의 뜻을 생각해 보세요.

小 貪 大 失

작을 **소**   탐할 **탐**   큰 **대**   잃을 **실**

◆ 성어의 뜻을 살펴보며 빈칸에 알맞은 한자를 채우세요.

→ '작은 것을 탐하다가 큰 것을 잃는다.'라는 뜻으로, 작은 이익에 욕심을 부리다가 더 큰 손해를 보는 어리석음을 이르는 말

생각을 키워요 ②

📖 코딩+한문 물건의 가격을 계산해서 한자로 바꿔 주는 로봇이 있습니다. 예시 와 같이 물건의 총 가격을 계산하여 빈칸에 쓰고, 음(소리)의 순서에 따라 선으로 이으세요.

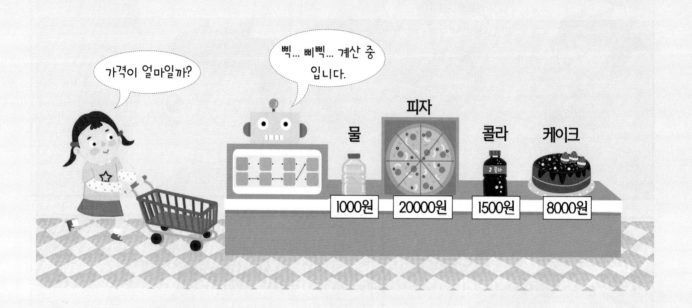

예시

문제 1

 🍰 + 🥤 = ☐ ☐ ☐ ☐ 원

| 八 | • | • | 千 | • | • | 四 | • | • | 百 |
| 九 | • | • | 萬 | • | • | 五 | • | • | 千 |

문제 2

🍕 + 🍰 = ☐ ☐ ☐ ☐ 원

| 二 | • | • | 百 | • | • | 七 | • | • | 千 |
| 三 | • | • | 萬 | • | • | 八 | • | • | 百 |

📖 수학+한문 칠교놀이는 일곱 개의 도형을 사용해서 그림을 완성하는 놀이입니다. 각 색깔의 도형에 쓰여 있는 뜻과 음(소리)에 맞는 한자를 보기 에서 찾아 그 번호를 도형의 ☐에 알맞게 쓰세요.

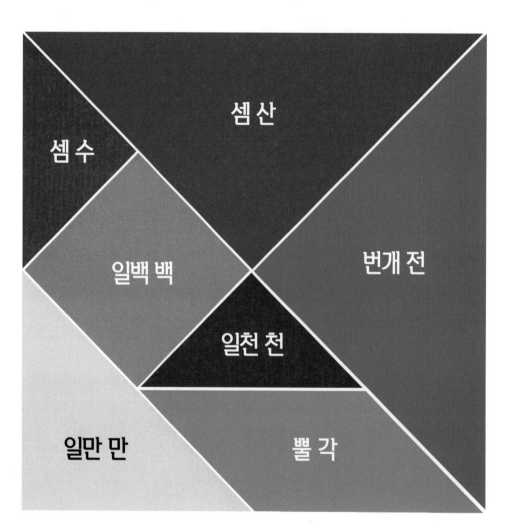

보기

① 角   ② 千   ③ 百   ④ 電   ⑤ 算   ⑥ 數   ⑦ 萬

3주

4주에는 무엇을 공부할까? ❶

명랑 탐정, 이 방에 보물이 숨겨져 있는 게 맞아?

지도에 따르면 여기가 맞아.

어! 저기 봐. 액자 안에 편지가 있어.

뭐라고 쓰여 있어?

보물은 이 便紙 속 漢字를 알아야 찾을 수 있다.

물론 스스로 問答을 할 수 있는 지혜도 있어야 한다.

은쟁반 위에 있을까? 文集 안에 있을까?

액자 안 便紙 속 글의 主語는 크게 중요하지 않다.

자, 아직도 보물의 위치를 찾지 못했나?

뒤보다 文장의 처음을 集中해서 보라.

보물에 대한 단서인 것 같은데…….

우선, 한자를 한글로 바꿔야 할 것 같아.

1일 主 임금/주인 주 | 語 말씀 어　**2**일 漢 한수/한나라 한 | 字 글자 자　**3**일 文 글월 문 | 集 모을 집

4일 便 편할 편/똥오줌 변 | 紙 종이 지　**5**일 問 물을 문 | 答 대답 답

이번 한자는 언어와 관련된 한자들인 것 같아.

그럼 어디 한번 읽어 볼까?

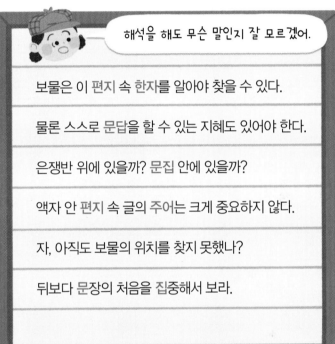

해석을 해도 무슨 말인지 잘 모르겠어.

보물은 이 편지 속 한자를 알아야 찾을 수 있다.

물론 스스로 문답을 할 수 있는 지혜도 있어야 한다.

은쟁반 위에 있을까? 문집 안에 있을까?

액자 안 편지 속 글의 주어는 크게 중요하지 않다.

자, 아직도 보물의 위치를 찾지 못했나?

뒤보다 문장의 처음을 집중해서 보라.

초롱 탐정, 이걸 봐! 문장의 처음만 읽으면 '보물은 액자 뒤'야!

보물은 액자 뒤

그럼 보물은 액자 뒤에 있구나!

와! 보물을 찾았다.

4주

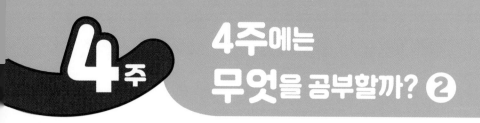

4주에는
무엇을 공부할까? ❷

⭐ 이번 주에 배울 한자가 미로 속에 있어요. 보기 를 참고해서 제시된 한자의 뜻과 음(소리)이 바르게 쓰인 길을 따라가 보물을 찾아보세요.

보기

| 主 임금/주인 주 | 語 말씀 어 | 漢 한수/한나라 한 | 字 글자 자 | 文 글월 문 |
| 集 모을 집 | 便 편할 편/똥오줌 변 | 紙 종이 지 | 問 물을 문 | 答 대답 답 |

主 語

임금/주인 주　　말씀 어

🔍 다음 글을 읽고, 오늘 배울 한자를 확인해 보세요.

나는 요즘 옆집에 사시는 외국인 아저씨에게 영어(語)를 배우고 있어요.

아저씨는 미국에서 오셨는데 한국에 사신 지 오래되어서 한국어(語)도 잘하세요.

아저씨가 한국어(語)와 영어(語)를 모두 잘하시기 때문에

저는 아저씨와 자유롭게 대화할 수 있어요.

지금은 아저씨와 대화할 때 주(主)로 한국어(語)로 하지만,

열심히 공부해서 영어(語)로도 자유롭게 대화해 보고 싶어요.

오늘 배울 한자

主 語

임금/주인 주　말씀 어

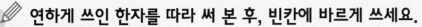
임금/주인 주

등잔 위에 타고 있는 불을 나타낸 글자로, 임금, 주인을 뜻해요.

QR을 보며 따라 써요!

主	主	主	主	主	主
임금/주인 주	임금/주인 주	임금/주인 주	임금/주인 주	임금/주인 주	임금/주인 주

말씀 어

번갈아 이야기하는 모습을 나타낸 글자로, 말씀을 뜻해요.

QR을 보며 따라 써요!

4주

語	語	語	語	語	語
말씀 어	말씀 어	말씀 어	말씀 어	말씀 어	말씀 어

'主(임금/주인 주)'와 '語(말씀 어)'가 들어간 한자어를 알아봅시다.

主 임금/주인 주

語 말씀 어

주어(主語)

語	
임금/주인 주	말씀 어

뜻 주요 문장 성분의 하나로, 동작이나 상태의 주된 대상이 되는 말

외국어(外國語)

外	國	
바깥 외	나라 국	말씀 어

뜻 다른 나라의 말

주인(主人)

人	
임금/주인 주	사람 인

뜻 물건을 소유한 사람

어학(語學)

學	
말씀 어	배울 학

뜻 어떤 나라의 언어, 특히 문법을 연구하는 학문

주식(主食)

食	
임금/주인 주	밥/먹을 식

뜻 식사 때 주로 먹는 음식

한국어(韓國語)

韓	國	
한국/나라 한	나라 국	말씀 어

뜻 한국말. 한국 사람들이 사용하는 언어

1 다음 한자의 뜻과 음(소리)으로 알맞은 것을 찾아 선으로 이으세요.

主　　　　　　　　　　　　語

임금/주인 주　　　살 주　　　　기록할 기　　　말씀 어

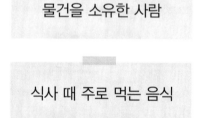

2 다음 뜻에 해당하는 한자어를 찾아 선으로 이으세요.

물건을 소유한 사람　·　　　　　·　主食

식사 때 주로 먹는 음식　·　　　　　·　主人

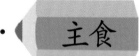

3 그림 속 내용이 맞으면 '예', 틀리면 '아니요'에 ○표 하세요.

'主語'는 '주인'
이라고 읽습니다.

예

아니요

'外國語'는
'다른 나라의 말'
을 뜻합니다.

예

아니요

급수 유형

4 다음 밑줄 친 한자어의 음(소리)을 쓰세요.

(1) 그녀는 <u>韓國語</u>를 배우기 위해 한국에 왔습니다. → (   )

(2) 그들은 내가 알아들을 수 없는 <u>外國語</u>로 이야기하였습니다. → (   )

급수 유형

5 다음 밑줄 친 낱말에 해당하는 한자어를 보기 에서 찾아 그 번호를 쓰세요.

> 보기
> ① 主人   ② 主語   ③ 主食   ④ 語學

(1) 교실에 <u>주인</u> 없는 우산이 하나 있습니다. → (   )

(2) 대다수의 한국인은 쌀을 <u>주식</u>으로 합니다. → (   )

급수 유형

6 다음 뜻에 맞는 한자어를 보기 에서 찾아 그 번호를 쓰세요.

> 보기
> ① 主人   ② 主食   ③ 主語   ④ 語學

(1) 어떤 나라의 언어, 특히 문법을 연구하는 학문 → (   )

(2) 주요 문장 성분의 하나로, 동작이나 상태의 주된 대상이 되는 말 → (   )

漢字

한수/한나라 한 글자 자

🔍 다음 글을 읽고, 오늘 배울 한자를 확인해 보세요.

내일은 학교에서 한자(漢字) 시험이 있는 날이에요.

저번 시험에서 100점을 받았기 때문에 이번 시험도 자신 있어요.

내일이 시험이지만 지금은 재미있는 만화가 보고 싶어요.

내 실력이면 글자[字] 쓰기 연습은 미뤄도 문제없을 것 같아요.

내일 시험도 당연히 100점이겠죠?

오늘 배울 한자

漢字

한수/한나라 한 글자 자

✎ 연하게 쓰인 한자를 따라 써 본 후, 빈칸에 바르게 쓰세요.

한수/한나라 한

중국 중부 지역에서 번성했던 한족을 대표하는 글자로, **한수, 한나라**를 뜻해요.

QR을 보며 따라 써요!

漢	漢	漢	漢	漢	漢
한수/한나라 **한**	한수/한나라 **한**	한수/한나라 **한**	한수/한나라 **한**	한수/한나라 **한**	한수/한나라 **한**

글자 자

집 안에서 아이를 기르는 모습을 나타낸 글자이지만 후에 **글자**라는 뜻을 가지게 되었어요.

QR을 보며 따라 써요!

4주

字	字	字	字	字	字
글자 **자**	글자 **자**	글자 **자**	글자 **자**	글자 **자**	글자 **자**

노을아, 시험에 나올 한자어(漢字語) 공부 많이 했어? 정말 어렵던데……

공부는 안 했지만, 난 자신 있어!

한자 시험

한자(漢字)
1. 밑줄 친 음(소리)에 해당하는 한자를 쓰세요.

한강에는 운동하는 사람들이 많습니다.

(韓)

노을아, '한강(漢江)'에 들어가는 '한'이 '漢(한수/한나라 한)' 맞지?

무슨 말이야. '韓(한국/나라 한)'이지.

그래? 내가 공부하면서 봤을 때는 '漢(한수/한나라 한)'이었는데.

같이 찾아보자.

척

한자

어라? '漢(한수/한나라 한)'이네.

내가 맞았다! 나 원래 한자에 있어서 문외한(門外漢)이었는데, 매일 한자를 정자(正字)로 쓰며 공부했더니 다 맞았어! 정말 보람이 있네.

내가 너무 자만했어. 다음부터는 이런 실수를 하지 말아야지. 나는 자간(字間)도 맞춰 쓰면서 공부할 거야.

🔍 '漢(한수/한나라 한)'과 '字(글자 자)'가 들어간 한자어를 알아봅시다.

 한수/한나라 한

한자어(漢字語)

	字	語
한수/한나라 한	글자 자	말씀 어

뜻 한자에 기초하여 만들어진 말

한강(漢江)

	江
한수/한나라 한	강 강

뜻 우리나라 중부를 흐르는 강

문외한(門外漢)

門	外	
문 문	바깥 외	한수/한나라 한

뜻 어떤 일에 전문적인 지식이 없는 사람. 어떤 일에 직접 관계가 없는 사람

 글자 자

한자(漢字)

漢	
한수/한나라 한	글자 자

뜻 고대 중국에서 만든 문자

정자(正字)

正	
바를 정	글자 자

뜻 바르게 또박또박 쓴 글자

자간(字間)

	間
글자 자	사이 간

뜻 글자와 글자의 사이

漢 한수/한나라 한 | 字 글자 자

기초 실력을 키워요

😺 **한자 확인**

1 다음 한자의 뜻과 음(소리)으로 알맞은 것을 찾아 선으로 이으세요.

漢 ·

字 ·

· 한수/한나라 ·

· 글자 ·

· 자

· 한

🐻 **어휘 확인**

2 다음 설명 에 해당하는 한자어를 찾아 ◯표 하세요.

설명

어떤 일에 전문적인 지식이 없는 사람. 어떤 일에 직접 관계가 없는 사람

漢字語

字間

門外漢

🐻 **어휘 확인**

3 힌트 를 보고 다음 빈칸에 들어갈 알맞은 글자를 써넣으세요.

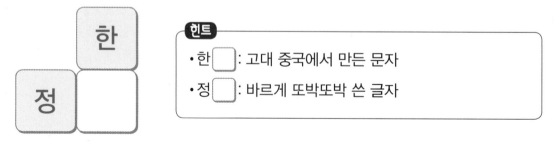

한

정

힌트

· 한◻ : 고대 중국에서 만든 문자

· 정◻ : 바르게 또박또박 쓴 글자

기초 집중 연습

급수 유형

4 다음 밑줄 친 한자어의 음(소리)을 쓰세요.

(1) 칠판에 이름을 <u>正字</u>로 써 놓았습니다. → (   )

(2) 글씨가 <u>漢字</u>로 되어 있어 읽기가 어려웠습니다. → (   )

급수 유형

5 다음 뜻과 음(소리)에 맞는 한자를 보기 에서 찾아 그 번호를 쓰세요.

보기

① 漢   ② 海   ③ 子   ④ 字

(1) 한수/한나라 한 → (   )

(2) 글자 자 → (   )

급수 유형

6 다음 밑줄 친 낱말에 해당하는 한자어를 보기 에서 찾아 그 번호를 쓰세요.

보기

① 漢江   ② 字間   ③ 正字   ④ 漢字

(1) 글자의 <u>자간</u>을 넓혀야 보기에 좋을 것 같습니다. → (   )

(2) 주말 저녁에 <u>한강</u>에서 유람선을 타기로 했습니다. → (   )

4주

文 集

글월 문　　모을 집

🔍 다음 글을 읽고, 오늘 배울 한자를 확인해 보세요.

내 이름이 '우주'라 그런지 나는 우주에 대해 관심이 많아요.

우주에 관련된 글[文]과 멋진 사진이 담긴 다양한 책도 보고,

우주선 장난감도 많이 모았어요[集].

이번에 아빠와 함께 천문(文)대에 가서 달을 보고 왔어요.

신기하고 재미있었던 기억을 더듬어 보면서

글[文]로 적어 볼 생각이에요.

오늘 배울 한자

文 集

글월 문　　모을 집

글월 문

가슴에 문양이 있는 사람이 양팔을 크게 벌린 모습을 나타낸 글자로, **글월**을 뜻해요. '글월'은 '글이나 문장'이라는 의미예요.

QR을 보며 따라 써요!

文	文	文	文	文	文
글월 문	글월 문	글월 문	글월 문	글월 문	글월 문

모을 집

나무 위에 새가 모여 있는 모습을 표현한 글자로, **모으다**를 뜻해요.

QR을 보며 따라 써요!

集	集	集	集	集	集
모을 집	모을 집	모을 집	모을 집	모을 집	모을 집

4주

자, 집중(集中)! 여러분, 우리가 한 학기 동안 고생해서 만든 문집(文集)이 드디어 나왔어요. 한 명씩 받아 가세요.

네~

이거 봐! 우주는 천문(天文)대에서 관측한 달 사진과 함께 글을 썼네.

내 이름이 우주잖아. 그래서 그런지 난 어렸을 때부터 우주에 관심이 많았대.

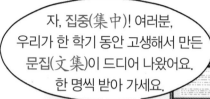

태양이는 세계 문학 전집(全集)을 모두 읽고 그중 가장 재미있었던 어린 왕자를 소개했네.

총 30권이나 되는데 이걸 다 읽었다니. 대단하다!

어린왕자

노을이는 서당에서 천자문(千字文)을 공부했던 때에 관해 글을 썼어. 한문(漢文) 천재는 노력으로 만들어지는 건가 봐.

저번 시험에 실수한 이후로 더 열심히 공부하고 있어.

이슬이는 김치볶음밥 조리법을 사진과 함께 정리했네. 사진만 봐도 군침이 도는데?

아빠가 가르쳐 주신 특급 조리법이야. 정말 맛있어.

우리의 이야기가 담긴 책이 나오니까 신기하고 뿌듯하다. 나는 다음에 꼭 나만의 책을 만들어 볼 거야.

나도!

'文(글월 문)'과 '集(모을 집)'이 들어간 한자어를 알아봅시다.

글월 문

모을 집

천문(天文)

天	
하늘 천	글월 문

뜻 우주와 천체의 온갖 현상과 규칙을 연구하는 학문

집중(集中)

	中
모을 집	가운데 중

뜻 한곳을 중심으로 모임. 한 가지 일에 힘을 쏟아부음.

천자문(千字文)

千	字	
일천 천	글자 자	글월 문

뜻 한문 학습의 기본서로 널리 쓰인 책으로, 1,000자의 한자로 이루어진 책

문집(文集)

文	
글월 문	모을 집

뜻 시나 글을 모아 엮은 책

한문(漢文)

漢	
한수/한나라 한	글월 문

뜻 중국 고전의 문장. 한자만으로 쓴 글

전집(全集)

全	
온전 전	모을 집

뜻 한 사람 또는 같은 시대나 같은 종류의 작품을 한데 모아 출판한 책

3일

언어 한자

文 글월 문 | 集 모을 집

기초 실력을 키워요

 **한자 확인**

1 다음 그림에 해당하는 한자를 찾아 ◯표 하세요.

文   門   集   火

어휘 확인

2 다음에서 '문집(文集)'의 뜻을 바르게 설명한 것을 찾아 ◯표 하세요.

우주와 천체의 온갖 현상과 규칙을 연구 하는 학문

시나 글을 모아 엮은 책

한곳을 중심으로 모임. 한 가지 일에 힘을 쏟아부음.

어휘 확인

3 다음 한자어의 뜻을 바르게 나타낸 것에 ✔표 하세요

漢文

☐ 중국 고전의 문장. 한자만으로 쓴 글

☐ 시나 글을 모아 엮은 책

급수 유형

4 다음 밑줄 친 한자어의 음(소리)을 쓰세요.

(1) 수업 시간에 선생님 말씀을 <u>集中</u>해서 들었습니다. ➔ (   )

(2) <u>天文</u>학자들은 천체를 관측하며 우주를 연구하였습니다. ➔ (   )

급수 유형

5 보기 와 같이 다음 한자의 뜻과 음(소리)을 쓰세요.

보기

字 ➔ 글자 자

(1) 文 ➔ (   )

(2) 集 ➔ (   )

급수 유형

6 다음 밑줄 친 낱말에 해당하는 한자어를 보기 에서 찾아 그 번호를 쓰세요.

보기

① 天文   ② 全集   ③ 文集   ④ 漢文

(1) 새로 나온 세계 문학 <u>전집</u>을 구매하였습니다. ➔ (   )

(2) 세 사람의 글을 모아 한 권의 <u>문집</u>으로 만들었습니다. ➔ (   )

便 紙

편할 편/
똥오줌 변

종이 지

🔍 다음 글을 읽고, 오늘 배울 한자를 확인해 보세요.

오늘은 부모님께 감사의 편지(便紙)를 썼어요.

글씨를 잘 쓰지는 못하지만, 내가 직접 고른 예쁜 종이[紙]에

내 마음을 한 글자씩 적어 나갔어요.

하고 싶은 말을 빠르게 말로 전하는 것이 편하겠지만[便],

이렇게 정성껏 글로 쓰면 내 마음이 더 잘 전해질 것 같아요.

오늘 배울 한자

便 紙

편할 편/
똥오줌 변

종이 지

✏️ **연하게 쓰인 한자를 따라 써 본 후, 빈칸에 바르게 쓰세요.**

편할 편/똥오줌 변

사람에게 편리하게 바꾼다는 뜻에서, **편하다**를 뜻해요. **똥오줌**이라는 뜻을 가질 때는 '변'으로 읽어요.

QR을 보며 따라 써요!

便	便	便	便	便	便
편할 편/ 똥오줌 변	편할 편/ 똥오줌 변	편할 편/ 똥오줌 변	편할 편/ 똥오줌 변	편할 편/ 똥오줌 변	편할 편/ 똥오줌 변

종이 지

종이가 발명되기 전에 종이로 사용했던 실로 만든 천을 나타낸 글자로, **종이**를 뜻해요.

QR을 보며 따라 써요!

4주

紙	紙	紙	紙	紙	紙
종이 지	종이 지	종이 지	종이 지	종이 지	종이 지.

엄마! 이건 뭐예요?

어머? 이건 아빠와 엄마가 연애할 때 아빠가 엄마에게 써 준 편지(便紙)를 모아 놓은 상자란다.

노을아, 휴지(休紙) 좀 가져다 줄래? 먼지가 많이 쌓였네.

네!

아빠는 옛날부터 사랑꾼 남편(男便)이셨네요.

그렇지. 지금도 변하지 않는 모습을 볼 때마다 행복하단다.

수북~

그런데 편지는 좀 불편(不便)하지 않아요? 바로바로 대화를 할 수 있는 것도 아니고 기다려야 하잖아요.

그렇게 생각할 수도 있는데, 편지는 상대에게 내 마음을 있는 그대로 전하기 좋은 방법이란다.

그럼 저도 편지를 한번 써 볼래요! 편지지가 없으니까 임시방편(方便)으로 색지(色紙)에다 쓰면 되겠죠?

그러렴. 누구한테 쓸 건데?

그건 비밀이에요!

반응이 그러니까 더 궁금한데?

부끄…

휙

 '便(편할 편/똥오줌 변)'과 '紙(종이 지)'가 들어간 한자어를 알아봅시다.

便 편할 편/똥오줌 변

紙 종이 지

남편(男便)

男	
사내 남	편할 편/똥오줌 변

뜻 결혼하여 여자의 짝이 된 남자

편지(便紙)

便	
편할 편/똥오줌 변	종이 지

뜻 안부, 소식, 용무 등을 적어 보내는 글

불편(不便)

不	
아닐 불	편할 편/똥오줌 변

뜻 어떤 것을 사용하거나 이용하는 것이 거북하고 괴로움.

휴지(休紙)

休	
쉴 휴	종이 지

뜻 허드레로 쓰는 얇은 종이. 화장지

방편(方便)

方	
모 방	편할 편/똥오줌 변

뜻 그때그때의 경우에 따라 편하고 쉽게 이용하는 수단과 방법

색지(色紙)

色	
빛 색	종이 지

뜻 여러 가지 색깔로 물들인 종이

4주

便 편할 편/
똥오줌 변 | 紙 종이 지

기초 실력을 키워요

한자 확인

1 다음 한자의 뜻과 음(소리)이 바른 것에 V표 하세요.

便

쉴 휴 ☐

紙

종이 지 ☐

어휘 확인

2 다음 ◯에 공통으로 들어갈 말을 한자로 바르게 나타낸 것에 V표 하세요.

- 편◯ : 안부, 소식, 용무 등을 적어 보내는 글
- 색◯ : 여러 가지 색깔로 물들인 종이

☐ 地

☐ 紙

어휘 확인

3 다음 문장의 내용이 맞으면 '예', 틀리면 '아니요'에 ◯표 하세요.

'방편(方便)'은 '그때그때의 경우에 따라 편하고 쉽게 이용하는 수단과 방법'을 뜻합니다.

 예   아니요

급수 유형

4 다음 뜻과 음(소리)에 맞는 한자를 보기 에서 찾아 그 번호를 쓰세요.

보기
①便　　　②方　　　③紙　　　④男

(1) 편할 **편**/똥오줌 **변** → (　　　　　　)

(2) 종이 **지** → (　　　　　　)

급수 유형

5 다음 밑줄 친 낱말에 해당하는 한자어를 보기 에서 찾아 그 번호를 쓰세요.

보기
① 不便　　　② 方便　　　③ 休紙　　　④ 便紙

(1) 책상이 낮고 작아서 조금 불편합니다. → (　　　　　　)

(2) 손자국이 난 거울을 휴지로 문질러 닦았습니다. → (　　　　　　)

급수 유형

6 다음 뜻에 맞는 한자어를 보기 에서 찾아 그 번호를 쓰세요.

보기
① 便紙　　　② 男便　　　③ 不便　　　④ 色紙

(1) 여러 가지 색깔로 물들인 종이 → (　　　　　　)

(2) 결혼하여 여자의 짝이 된 남자 → (　　　　　　)

4주

5일

언어 한자

問 答

물을 문 **대답 답**

🔍 다음 글을 읽고, 오늘 배울 한자를 확인해 보세요.

노을이는 참 좋은 친구예요.

내가 궁금한 점이나 모르는 것이 있어 물어[問] 볼 때면,

노을이는 그때마다 웃으면서 친절하게 대답해[答] 줘요.

오늘은 성적이 많이 오른 노을이가 어떻게 공부하는지가

궁금해서 물어[問] 보려 해요.

호기심 많은 저를 귀찮아하지는 않겠죠?

오늘 배울 한자

問 答

물을 문 **대답 답**

물을 문

남의 집을 방문해 질문하는 모습을 표현한 글자로, 묻다를 뜻해요.

QR을 보며 따라 써요!

問	問	問	問	問	問
물을 문	물을 문	물을 문	물을 문	물을 문	물을 문

대답 답

옛날에 대나무에 편지를 쓰고 답장하였던 데서 대답하다라는 뜻을 나타내요.

QR을 보며 따라 써요!

4주

答	答	答	答	答	答
대답 답	대답 답	대답 답	대답 답	대답 답	대답 답

노을아, 어떻게 성적이 그렇게 올랐어?

저번에 할머니께 문안(問安) 인사를 드리러 갔다가 삼촌을 만났는데, 삼촌이 가르쳐 주신 공부법을 사용했더니 성적이 많이 올랐어.

뭔데? 나도 좀 알려 줘.

문답(問答) 공부법이야. 이 공부법을 사용하면 과목을 불문(不問)하고 성적을 올릴 수 있어.

어떻게 하는 건데?

가장 중요한 건, 문제를 풀다가 모르는 문제가 나와도 바로 해설지를 찾아보지 않는 거야.

그럼 어떻게 해야 해?

자문(自問)과 자답(自答)을 끊임없이 하면서 문제에 대해 고민을 해야 해. 아무리 고민을 해도 답이 안 떠오르면 교과서의 내용을 다시 읽으며 문제에 대한 정답(正答)을 찾는 거야.

시간은 오래 걸리더라도 쉽게 잊어 버리지는 않겠구나.

맞아! 그게 이 공부법의 중요한 부분이야.

알려 줘서 고마워!

내 비밀 공부법이 이렇게 모두에게 밝혀져 버렸네.

쏙

🔍 '問'(물을 문)'과 '答(대답 답)'이 들어간 한자어를 알아봅시다.

 물을 문

 대답 답

문안(問安)

安	
물을 문	편안 안

뜻 웃어른께 안부를 여쭘.

문답(問答)

問	
물을 문	대답 답

뜻 물음과 대답. 서로 묻고 대답함.

불문(不問)

不	
아닐 불	물을 문

뜻 가리지 아니함. 묻지 아니함.

자답(自答)

自	
스스로 자	대답 답

뜻 스스로 자기에게 물은 것에 대하여 스스로 대답함.

자문(自問)

自	
스스로 자	물을 문

뜻 자신에게 스스로 물음.

정답(正答)

正	
바를 정	대답 답

뜻 옳은 답

問 물을 문 ┃ 答 대답 답

기초 실력을 키워요

한자 확인

1 다음 한자 카드의 ☐ 안에 들어갈 한자나 한자의 뜻과 음(소리)을 쓰세요.

물을 문

→ (   )

答

→ (   )

어휘 확인

2 ◯에 알맞은 글자를 넣어 낱말을 만드세요.

웃어른께 안부를 여쭘. ▶ ◯안

옳은 답 ▶ 정◯

어휘 확인

3 낱말판에서 설명에 해당하는 낱말을 찾아 ◯표 하세요.

전	기	술
자	답	사
신	지	회

설명
스스로 자기에게 물은 것에 대하여 스스로 대답함.

급수 유형

4 다음 밑줄 친 한자어의 음(소리)을 쓰세요.

(1) 강연이 끝나고 잠시 **問答**을 하는 시간을 가졌습니다. → (   )

(2) 남녀노소를 **不問**하고 모두가 그녀의 노래를 좋아했습니다. → (   )

급수 유형

5 보기 와 같이 다음 한자의 뜻과 음(소리)을 쓰세요.

> 보기
>
> 紙 → 종이 지

(1) 問 → (   )

(2) 答 → (   )

급수 유형

6 다음 밑줄 친 낱말에 해당하는 한자어를 보기 에서 찾아 그 번호를 쓰세요.

> 보기
>
> ① 問答　　　② 問安　　　③ 自問　　　④ 正答

(1) 할아버지께 문안 인사를 드렸습니다. → (   )

(2) 내가 스스로 잘했는지를 자문해 보았습니다. → (   )

누구나 100점 TEST

1 다음 한자의 알맞은 뜻과 음(소리)을 골라 선으로 이으세요.

(1) 主 · · 임금/주인 · · 자

(2) 字 · · 모으다 · · 집

(3) 集 · · 글자 · · 주

2 다음 한자 카드의 ☐ 안에 알맞은 한자를 쓰세요.

(1)

말씀 어

(2)

편할 편/똥오줌 변

3 다음 한자의 뜻을 보기 에서 찾아 그 번호를 쓰세요.

> **보기**
> ① 글월   ② 종이   ③ 모으다

(1) 紙 → (   )

(2) 文 → (   )

4 다음 밑줄 친 한자어의 음(소리)을 쓰세요.

> 매일매일 배운 (1)<u>漢字</u>를
> (2)<u>正字</u>로 쓰며 공부했더니,
> 글씨도 잘 써지고 한자도 잘
> 외워졌습니다.

(1) (   )

(2) (   )

5 다음 밑줄 친 낱말에 해당하는 한자어를 보기 에서 찾아 그 번호를 쓰세요.

> **보기**
> ① 色紙   ② 休紙   ③ 便紙

● <u>색지</u>로 예쁜 꽃을 접었습니다.

→ (   )

6 보기 와 같이 다음 한자의 뜻과 음(소리)을 쓰세요.

보기

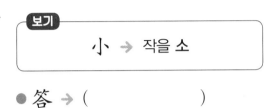

小 → 작을 소

● 答 → (   )

7 다음 그림이 나타내는 한자를 선으로 이으세요.

· 紙

· 便

8 다음 밑줄 친 한자어의 음(소리)을 쓰세요.

지난 방학 때 서당에 가서 千字文을 배웠습니다.

→ (   )

9 다음 ☐ 안에 들어갈 한자어를 보기에서 찾아 그 번호를 쓰세요.

보기

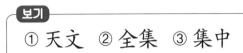

① 天文   ② 全集   ③ 集中

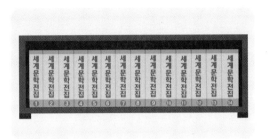

● 엄마가 세계 문학 ☐☐을 사 주셨습니다. → (   )

10 다음 십자말풀이를 보고 ☐ 안에 들어갈 알맞은 한자를 보기에서 찾아 그 번호를 쓰세요. → (   )

보기

① 字   ② 全   ③ 文

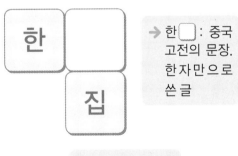

→ 한☐ : 중국 고전의 문장. 한자만으로 쓴 글

↓ ☐집 : 시나 글을 모아 엮은 책

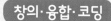
📖 국어+한문 다음 만화를 읽고, 성어의 뜻을 생각해 보세요.

集　小　成　大
모을 집　작을 소　이룰 성　큰 대

4주

◆ 성어의 뜻을 살펴보며 빈칸에 알맞은 한자를 채우세요.

→ '작은 것들이 모여 큰 것을 이루다.'라는 뜻으로, 작은 것이라도 꾸준히 모은다면 결국에 큰 것을 이룰 수 있는 것을 이르는 말

코딩+한문 다음 그림과 같이 밸브가 열려 있거나 닫혀 있을 때, 아래쪽에 물이 채워지는 물통을 색칠해 보고, 그 한자의 뜻과 음(소리)을 빈칸에 쓰세요.

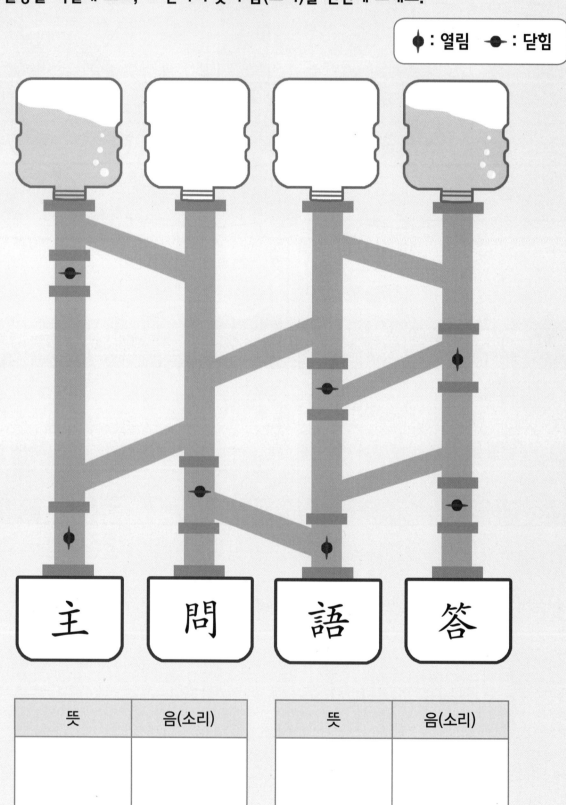

뜻	음(소리)		뜻	음(소리)

◐ 정답 21쪽

📖 코딩+한문 다은이는 엄마에게 앞면에는 한자가, 뒷면에는 한자의 음(소리)이 쓰여 있
는 목걸이를 선물로 받았어요. 다음 중 어떤 목걸이가 다은이의 목걸이인지 찾아 번호를
쓰세요. → (   )

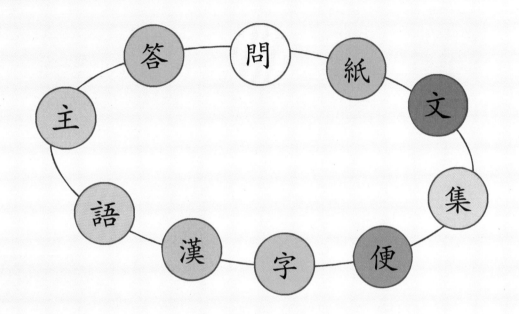

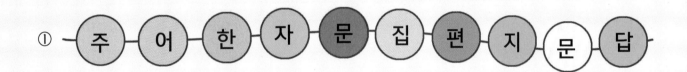

① 주 - 어 - 한 - 자 - 문 - 집 - 편 - 지 - 문 - 답

② 어 - 한 - 자 - 편 - 집 - 문 - 지 - 문 - 답 - 주

③ 주 - 한 - 자 - 편 - 집 - 문 - 지 - 문 - 답 - 어

④ 어 - 한 - 자 - 편 - 집 - 문 - 지 - 문 - 답 - 주

📖 과학+한문 다음은 소금물로 비밀 편지를 쓰는 방법에 대한 글입니다. 글을 읽고, 물음에 답해 보세요.

털어놓고 싶은 비밀 이야기가 있나요? 소금물과 헤어드라이어만 있으면 비밀 ㉠ 편지를 주고받을 수 있어요. 아래 순서를 따라서 비밀 편지를 써 보세요.

I. 따뜻한 물에 소금을 녹여서 소금물을 만들어 주세요.

2. 소금물에 붓을 적셔 주세요.

3. 검은색 종이에 붓으로 글을 써 주세요.

4. 헤어드라이어로 종이를 말리면 하얀 ㉡ 글자가 나타나요.

+ 안전
헤어드라이어를 사용할 때 화상이나 감전, 화재 등이 발생할 수 있으니 반드시 부모님과 함께 사용해요.

1 ㉠의 음(소리)에 해당하는 한자어를 보기 에서 찾아 그 번호를 쓰세요.

> 보기
> ① 主語   ② 問答   ③ 便紙   ④ 文集

● ㉠ 편지 → (   )

2 ㉡을 뜻하는 한자를 보기 에서 찾아 그 번호를 쓰세요.

> 보기
> ① 問   ② 字   ③ 主   ④ 紙

● ㉡ 글자 → (   )

3 다음 질문의 답으로 알맞은 것은 어느 것입니까?   (   )

헤어드라이어로 종이를 말리면 글자가 나타나는 게 너무 신기해요. 그런데 이 하얀 가루는 무엇인가요?

① 헤어드라이어에서 나온 가루입니다.
② 공기 속에 있던 먼지가 붙은 것입니다.
③ 검은색 종이가 마르면서 색이 변하는 것입니다.
④ 소금물이 마르면서 물에 녹았던 소금이 나타나는 것입니다.

[문제 1~5] 다음 밑줄 친 漢字語한자어의 音(음: 소리)을 쓰세요.

> **보기**
>
> 漢字 → 한자

1 安全 수칙은 꼭 지켜야 합니다.

( )

2 그는 그녀의 생일 便紙를 쓰고 있습니다.

( )

3 우리는 萬一을 대비하여 열심히 준비하여야 합니다. ( )

4 우리는 달마다 봉사 活動을 합니다.

( )

5 0.1과 같이 일의 자리보다 작은 자리의 값을 가진 수를 小數라고 합니다.

( )

[문제 6~9] 다음 漢字한자의 訓(훈: 뜻)과 音(음: 소리)을 쓰세요.

> **보기**
>
> 字 → 글자 자

6 電 ( )

7 語 ( )

8 教 ( )

9 同 ( )

[문제 10~11] 다음 밑줄 친 漢字語한자어를 **보기**에서 골라 그 번호를 쓰세요.

> **보기**
>
> ① 日記　　② 千金
> ③ 動物　　④ 自力

10 이번 방학 숙제는 일기 쓰기입니다.

( )

11 나는 자력으로 어려움을 이겨냈습니다.

( )

[문제 12~15] 다음 訓(훈: 뜻)과 音(음: 소리)에 맞는 漢字한자를 보기 에서 골라 그 번호를 쓰세요.

보기
① 育   ② 登   ③ 百   ④ 文

12 글월 문 (   )

13 기를 육 (   )

14 오를 등 (   )

15 일백 백 (   )

[문제 16] 다음 漢字한자의 상대 또는 반대되는 漢字한자를 보기 에서 골라 그 번호를 쓰세요.

보기
① 語   ② 休   ③ 問   ④ 漢

16 (   ) ↔ 答

[문제 17~18] 다음 뜻에 맞는 漢字語한자어를 보기 에서 찾아 그 번호를 쓰세요.

보기
① 萬國   ② 同名
③ 出動   ④ 百姓

17 옛날에 국민을 이르던 말
(   )

18 서로 이름이 같음. (   )

[문제 19~20] 다음 漢字한자의 진하게 표시된 획은 몇 번째 쓰는지 보기 에서 찾아 그 번호를 쓰세요.

보기
① 첫 번째   ② 두 번째
③ 세 번째   ④ 네 번째

19

(   )

20
(   )

[문제 1~5] 다음 밑줄 친 漢字語한자어의 音(음: 소리)을 쓰세요.

보기

漢字 → 한자

1 나는 이번 시험에서 <u>全校</u> 1등을 하였습니다. (   )

2 그녀는 <u>所重</u>한 반지를 잃어버렸습니다. (   )

3 그는 새로운 <u>家電</u>제품을 구매하였습니다. (   )

4 대다수의 한국인은 쌀을 <u>主食</u>으로 삼습니다. (   )

5 우리는 <u>漢江</u>으로 놀러 갔습니다. (   )

[문제 6~9] 다음 漢字한자의 訓(훈: 뜻)과 音(음: 소리)을 쓰세요.

보기

字 → 글자 자

6 數 (   )

7 問 (   )

8 弟 (   )

9 活 (   )

[문제 10~11] 다음 밑줄 친 漢字語한자어를 보기에서 골라 그 번호를 쓰세요.

보기

① 日出   ② 正答
③ 弟子   ④ 生育

10 가족과 함께 일출을 보러 갔습니다. (   )

11 우리는 문제의 정답을 찾을 수 있었습니다. (   )

[문제 12~15] 다음 訓(훈: 뜻)과 音(음: 소리)에 맞는 漢字한자를 보기 에서 골라 그 번호를 쓰세요.

보기
① 千　② 記　③ 動　④ 紙

12 움직일 동　(　　　　　)

13 기록할 기　(　　　　　)

14 일천 천　(　　　　　)

15 종이 지　(　　　　　)

[문제 16] 다음 漢字한자의 상대 또는 반대되는 漢字한자를 보기 에서 골라 그 번호를 쓰세요.

보기
① 同　② 學　③ 算　④ 小

16 (　　　　　) ↔ 教

[문제 17~18] 다음 뜻에 맞는 漢字語한자어를 보기 에서 찾아 그 번호를 쓰세요.

보기
① 登場　② 千百
③ 育林　④ 心算

17 마음속으로 하는 궁리나 계획
(　　　　　)

18 어떠한 사람이 나타남.
(　　　　　)

[문제 19~20] 다음 漢字한자의 진하게 표시된 획은 몇 번째 쓰는지 보기 에서 찾아 그 번호를 쓰세요.

보기
① 세 번째　② 네 번째
③ 다섯 번째　④ 여섯 번째

19 　(　　　　　)

20 　(　　　　　)

학습 내용 찾아보기

학교 한자

登
오를 등

학교 한자

校
학교 교

학교 한자

休
쉴 휴

학교 한자

學
배울 학

한자와 뜻·음(소리)을 쓰세요.

校

뜻 _____

음 _____

한자와 뜻·음(소리)을 쓰세요.

登

뜻 _____

음 _____

한자와 뜻·음(소리)을 쓰세요.

學

뜻 _____

음 _____

한자와 뜻·음(소리)을 쓰세요.

休

뜻 _____

음 _____

학교 한자

日

날 일

학교 한자

記

기록할 기

학교 한자

同

한가지 동

학교 한자

門

문 문

한자와 뜻·음(소리)을 쓰세요.

記

뜻 _____

음 _____

한자와 뜻·음(소리)을 쓰세요.

日

뜻 _____

음 _____

한자와 뜻·음(소리)을 쓰세요.

門

뜻 _____

음 _____

한자와 뜻·음(소리)을 쓰세요.

同

뜻 _____

음 _____

학교 한자

弟

아우 제

학교 한자

子

아들 자

배움 한자

分

나눌 분

배움 한자

班

나눌 반

😺 한자와 뜻·음(소리)을 쓰세요.

| 子 | 뜻 _____ |
| | 음 _____ |

😺 한자와 뜻·음(소리)을 쓰세요.

| 弟 | 뜻 _____ |
| | 음 _____ |

😺 한자와 뜻·음(소리)을 쓰세요.

| 班 | 뜻 _____ |
| | 음 _____ |

😺 한자와 뜻·음(소리)을 쓰세요.

| 分 | 뜻 _____ |
| | 음 _____ |

배움 한자

教

가르칠 교

배움 한자

育

기를 육

배움 한자

重

무거울 중

배움 한자

力

힘 력

🐼 한자와 뜻·음(소리)을 쓰세요.

| 育 | 뜻 _____ |
| | 음 _____ |

🐼 한자와 뜻·음(소리)을 쓰세요.

| 教 | 뜻 _____ |
| | 음 _____ |

🐼 한자와 뜻·음(소리)을 쓰세요.

| 力 | 뜻 _____ |
| | 음 _____ |

🐼 한자와 뜻·음(소리)을 쓰세요.

| 重 | 뜻 _____ |
| | 음 _____ |

배움 한자

安

편안 안

배움 한자

全

온전 전

배움 한자

活

살 활

배움 한자

動

움직일 동

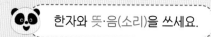

한자와 뜻·음(소리)을 쓰세요.

全

全

뜻 _____

음 _____

한자와 뜻·음(소리)을 쓰세요.

安

安

뜻 _____

음 _____

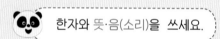

한자와 뜻·음(소리)을 쓰세요.

動

動

뜻 _____

음 _____

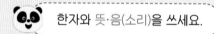

한자와 뜻·음(소리)을 쓰세요.

活

活

뜻 _____

음 _____

수 한자

百

일백 백

수 한자

千

일천 천

수 한자

萬

일만 만

수 한자

一

한 일

한자와 뜻·음(소리)을 쓰세요.

千

뜻 _____

음 _____

한자와 뜻·음(소리)을 쓰세요.

百

뜻 _____

음 _____

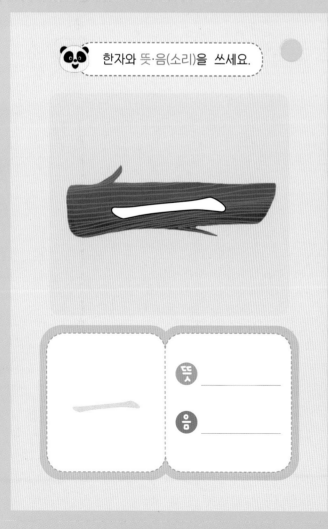

한자와 뜻·음(소리)을 쓰세요.

一

뜻 _____

음 _____

한자와 뜻·음(소리)을 쓰세요.

萬

뜻 _____

음 _____

수 한자

小

작을 소

수 한자

數

셈 수

수 한자

六

여섯 륙

수 한자

角

뿔 각

🐼 한자와 뜻·음(소리)을 쓰세요.

數

뜻 _____

음 _____

🐼 한자와 뜻·음(소리)을 쓰세요.

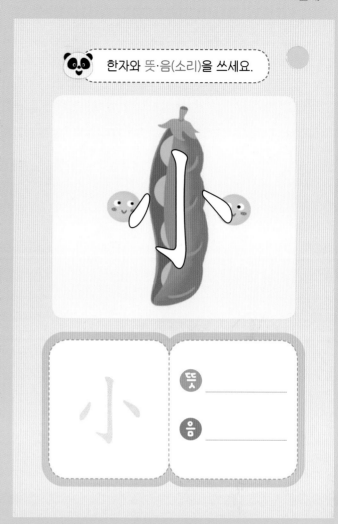

小

뜻 _____

음 _____

🐼 한자와 뜻·음(소리)을 쓰세요.

角

뜻 _____

음 _____

🐼 한자와 뜻·음(소리)을 쓰세요.

六

뜻 _____

음 _____

수 한자

電

변개 전

수 한자

算

셈 산

언어 한자

主

임금/주인 주

언어 한자

語

말씀 어

한자와 뜻·음(소리)을 쓰세요.

算

| 算 | 뜻 _____ |
| | 음 _____ |

한자와 뜻·음(소리)을 쓰세요.

電

| 電 | 뜻 _____ |
| | 음 _____ |

한자와 뜻·음(소리)을 쓰세요.

語

| 語 | 뜻 _____ |
| | 음 _____ |

한자와 뜻·음(소리)을 쓰세요.

主

| 主 | 뜻 _____ |
| | 음 _____ |

언어 한자

漢

한수/한나라 한

언어 한자

字

글자 자

언어 한자

文

글월 문

언어 한자

集

모을 집

한자와 뜻·음(소리)을 쓰세요.

字

뜻 _____

음 _____

한자와 뜻·음(소리)을 쓰세요.

漢

뜻 _____

음 _____

한자와 뜻·음(소리)을 쓰세요.

集

뜻 _____

음 _____

한자와 뜻·음(소리)을 쓰세요.

文

뜻 _____

음 _____

언어 한자

便

편할 편/똥오줌 변

언어 한자

紙

종이 지

언어 한자

問

물을 문

언어 한자

答

대답 답

🐼 한자와 뜻·음(소리)을 쓰세요.

紙	뜻 _____
	음 _____

🐼 한자와 뜻·음(소리)을 쓰세요.

便	뜻 _____
	음 _____

🐼 한자와 뜻·음(소리)을 쓰세요.

答	뜻 _____
	음 _____

🐼 한자와 뜻·음(소리)을 쓰세요.

問	뜻 _____
	음 _____

水
漁
之
交

물
물고기
갈
사귈

수
어
지
교

물고기에게 물은 정말 소중한 존재이지요.
수어지교란 물고기와 물의 관계처럼,
아주 친밀하여 떨어질 수 없는 사이
또는 깊은 우정을 일컫는 말이랍니다.

해당 콘텐츠는 천재교육 '똑똑한 하루 독해'를 참고하여 제작되었습니다.
모든 공부의 기초가 되는 어휘력+독해력을 키우고 싶을 땐,
똑똑한 하루 독해&어휘를 풀어보세요!

똑똑한 하루 시/리/즈

✕ 쉽다!

10분이면 하루치 공부를 마칠 수 있는 커리큘럼으로,
아이들이 초등 학습에 쉽고 재미있게 접근할 수 있도록
구성하였습니다.

🧩 재미있다!

교과서는 물론 생활 속에서 쉽게 접할 수 있는
다양한 소재와 재미있는 게임 형식의 문제로
흥미로운 학습이 가능합니다.

📖 똑똑하다!

초등학생에게 꼭 필요한 학습 지식 습득은 물론
창의력 확장까지 가능한 교재로 올바른 공부습관을
가지는 데 도움을 줍니다.

과목	교재 구성	과목	교재 구성
하루 독해	예비초~6학년 각 A·B (14권)	하루 VOCA	3~6학년 각 A·B (8권)
하루 어휘	예비초~6학년 각 A·B (14권)	하루 Grammar	3~6학년 각 A·B (8권)
하루 글쓰기	예비초~6학년 각 A·B (14권)	하루 Reading	3~6학년 각 A·B (8권)
하루 한자	예비초: 예비초 A·B (2권) 1~6학년: 1A~4C (12권)	하루 Phonics	Starter A·B / 1A~3B (8권)
하루 수학	1~6학년 1·2학기 (12권)	하루 봄·여름·가을·겨울	1~2학년 각 2권 (8권)
하루 계산	예비초~6학년 각 A·B (14권)	하루 사회	3~6학년 1·2학기 (8권)
하루 도형	예비초~6학년 각 A·B (14권)	하루 과학	3~6학년 1·2학기 (8권)
하루 사고력	1~6학년 각 A·B (12권)	하루 안전	1~2학년 (2권)

※ 각 교재별 출간 시기는 조금씩 다르며, 일부 교재는 순차적으로 출시될 예정입니다.

똑 똑 한

하루
한자

정답 ✧

단계
3C

7급 기초3

천재교육

배운 내용은
꼭꼭 복습하기!

똑 똑 한

하루
한자

정답

3 단계
C
7급 기초3

1주
도입

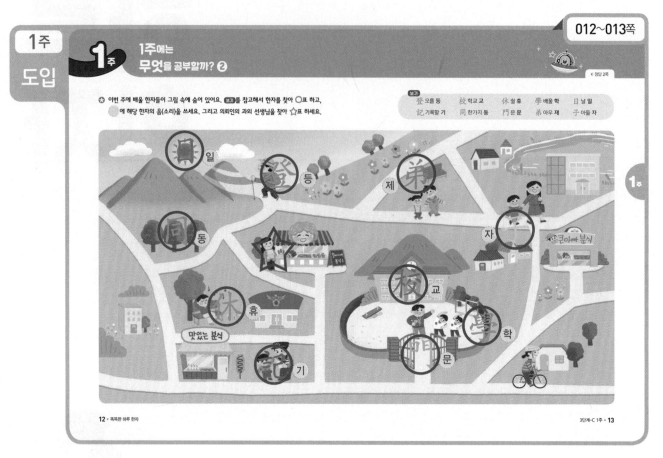

1주
1일

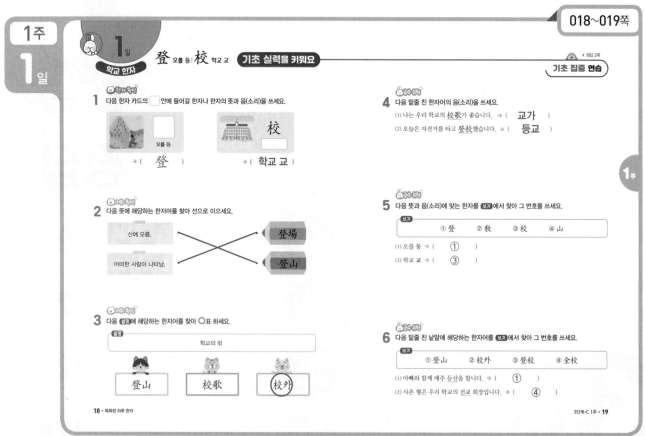

024~025쪽

1주
2일

2일
학교 한자
休 쉴 휴 | 學 배울 학

기초 실력을 키워요

정답 3쪽

기초 집중 연습

1 다음 한자의 뜻과 음(소리)으로 알맞은 것을 찾아 선으로 이으세요.

休 — 배우다 — 학
學 — 쉬다 — 휴

2 다음 문장의 내용이 맞으면 '예', 틀리면 '아니요'에 ○표 하세요.

'學[학문]'은 '지식을 배우며 익히는 일.
한 분야의 지식'을 뜻합니다.

예 〔○〕 아니요

3 인트 를 보고 다음 빈칸에 들어갈 알맞은 글자를 써넣으세요.

불 휴
일

인트
• 불□ : 조금도 쉬지 않음.
• □일 : 일을 하지 않고 쉬는 날

4 다음 뜻과 음(소리)에 맞는 한자를 보기 에서 찾아 그 번호를 쓰세요.

보기
①休   ②木   ③學   ④校

(1) 쉴 휴 → (①)
(2) 배울 학 → (③)

5 다음 밑줄 친 낱말에 해당하는 한자어를 보기 에서 찾아 그 번호를 쓰세요.

보기
①休日   ②入學   ③休學   ④不休

(1) 학교에 입학한 지 벌써 3년이 지났습니다. → (②)
(2) 대학생인 누나는 휴일을 맞아 여행을 떠났습니다. → (①)

6 다음 뜻에 맞는 한자어를 보기 에서 찾아 그 번호를 쓰세요.

보기
①休學   ②不休   ③休日   ④大學

(1) 조금도 쉬지 않음. → (②)
(2) 고등 교육을 베푸는 교육 기관 → (④)

24 • 똑똑한 하루 한자

3단계-C 1주 • 25

030~031쪽

1주
3일

3일
학교 한자
日 날 일 | 記 기록할 기

기초 실력을 키워요

정답 3쪽

기초 집중 연습

1 다음 한자의 뜻과 음(소리)으로 알맞은 것을 찾아 선으로 이으세요.

日   記

날 일   흰 백   말씀 화   기록할 기

2 다음 한자어의 뜻을 바르게 나타낸 것에 ∨표 하세요.

日記

☑ 겪은 일이나 느낌 등을 날마다 적음.
□ 수첩이나 문서에 적음.

3 다음 문장에 들어갈 말로 어울리는 한자어를 찾아 ○표 하세요.

새해를 맞아 가족들과 함께
(日記 日出)을/를 보며 소원을 빌었습니다.

4 다음 밑줄 친 한자어의 음(소리)을 쓰세요.

(1) 설날은 정월 초하루, 正日 등으로도 불립니다. → (정일)
(2) 용돈 記入장을 쓰면 돈을 낭비하지 않을 수 있습니다. → (기입)

5 보기 와 같이 다음 한자의 뜻과 음(소리)을 쓰세요.

보기
休 → 쉴 휴

(1) 日 → (날 일)
(2) 記 → (기록할 기)

6 다음 뜻에 맞는 한자어를 보기 에서 찾아 그 번호를 쓰세요.

보기
①正日   ②後日   ③手記   ④日記

(1) 시간이 지나 뒤에 올 날 → (②)
(2) 글이나 글씨를 자기 손으로 씀. 자기의 생활이나 체험을 직접 쓴 기록
→ (③)

30 • 똑똑한 하루 한자

3단계-C 1주 • 31

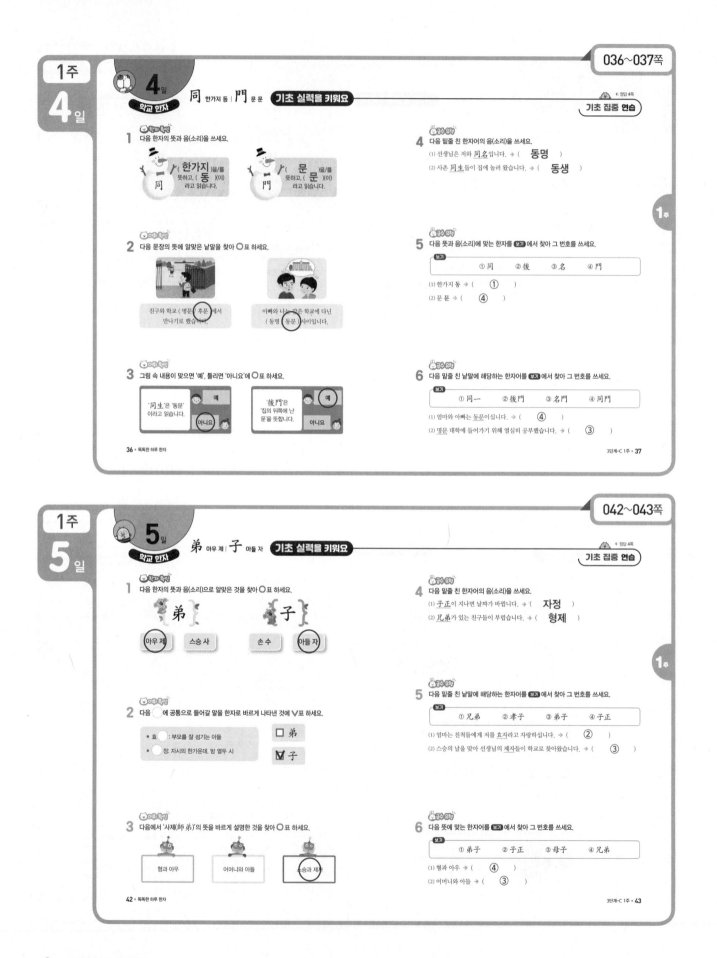

1주 TEST

1주 누구나 100점 TEST

◀ 정답 5쪽
맞은 개수 [/10개]

1 다음 한자의 알맞은 뜻과 음(소리)을 골라 선으로 이으세요.

(1) 登 ── 오르다 ── 기
(2) 休 ╳ 기록하다 ╳ 휴
(3) 記 ╳ 쉬다 ╳ 등

2 다음 한자 카드의 □ 안에 알맞은 한자를 쓰세요.

(1) 弟 아우 제
(2) 同 한가지 동

3 다음 그림이 나타내는 한자를 선으로 이으세요.

· 同
· 校

4 다음 밑줄 친 한자어의 음(소리)을 쓰세요.

거실에 있는 시계가 **子正**이 되면 소리가 납니다.

→ (자정)

5 다음 □ 안에 들어갈 한자어를 [보기]에서 찾아 그 번호를 쓰세요.

[보기] ① 同生 ② 同門 ③ 同一

● □□은 정말 사랑스럽습니다.
→ (①)

6 다음 밑줄 친 한자의 음(소리)을 쓰세요.

우리 가족은 (1)**登**산을 좋아해서 (2)**休**일마다 산에 갑니다.

(1) [등]
(2) [휴]

7 다음 한자의 뜻을 [보기]에서 찾아 그 번호를 쓰세요.

[보기] ① 아우 ② 날 ③ 한가지

(1) 日 → (②)
(2) 弟 → (①)

8 다음 그림과 뜻이 나타내는 한자어에 ✔표 하세요.

서로 이름이 같음.

□ 同一   ✔ 同名

9 다음 밑줄 친 낱말에 해당하는 한자어를 [보기]에서 찾아 그 번호를 쓰세요.

[보기] ① 母子 ② 同一 ③ 兄弟

● 형제는 사이좋게 장난감을 가지고 놉니다. → (③)

10 다음 십자말풀이를 보고 □ 안에 들어갈 알맞은 한자를 [보기]에서 찾아 그 번호를 쓰세요. → (③)

[보기] ① 學 ② 同 ③ 校

[등][ ] →[등]: 학생이 학교에 감.
[ ]
[가]

↓[ ]가: 학교를 상징하는 노래

1주 특강

1주 특강 생각을 키워요 ❶

창의·융합·코딩

◀ 정답 5쪽

📖 국어+한문 다음 만화를 읽고, 성어의 뜻을 생각해 보세요.

◆ 성어의 뜻을 살펴보며 빈칸에 알맞은 한자를 채우세요.

[등][登] [용][龍] [문][門]

→ 잉어가 중국 황허강의 급류인 '용문'을 오르면 용이 된다는 전설에서 유래한 말로, 어려운 관문을 통과해 크게 출세함, 또는 그 관문을 이르는 말

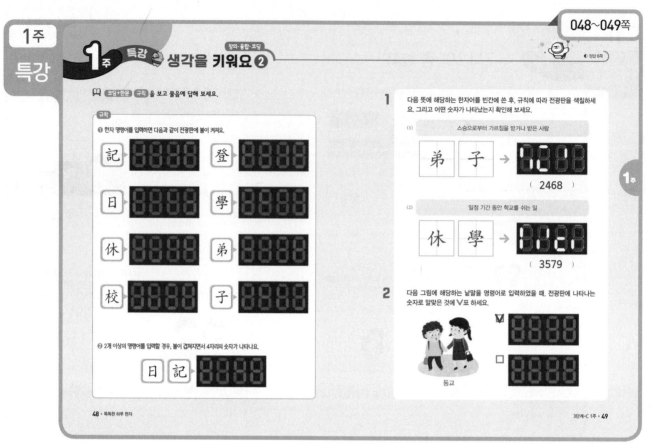

1주 특강

1주 특강 생각을 키워요 ❷

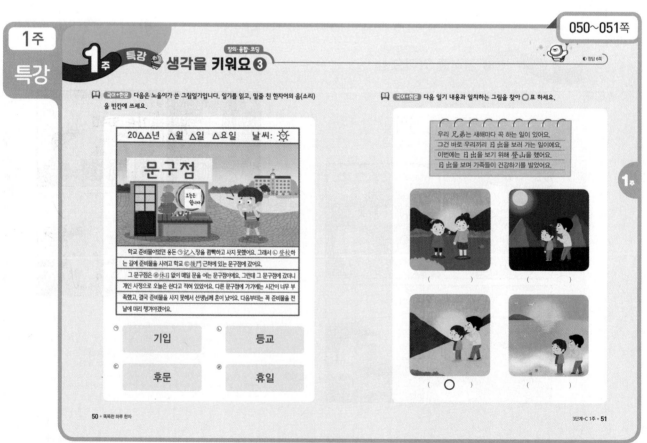

1주 특강

1주 특강 생각을 키워요 ❸

2주
도입

2주
2주에는 무엇을 공부할까? ❷

◈ 정답 7쪽

✿ 이번 주에 배울 한자가 그림 속에 숨어 있어요. 보기 의 순서대로 한자를 찾아 따라가 왕자님이 공주님을 만날 수 있게 해 주세요.

보기
→ 分 나눌 분 → 班 나눌 반 → 敎 가르칠 교 → 育 기를 육 → 重 무거울 중
→ 力 힘 력 → 安 편안 안 → 全 온전 전 → 活 살 활 → 動 움직일 동

54 • 똑똑한 하루 한자

3단계-C 2주 • 55

060~061쪽

2주
1일

1일
배움 한자

分 나눌 분 | 班 나눌 반

기초 실력을 키워요

◈ 정답 7쪽

기초 집중 연습

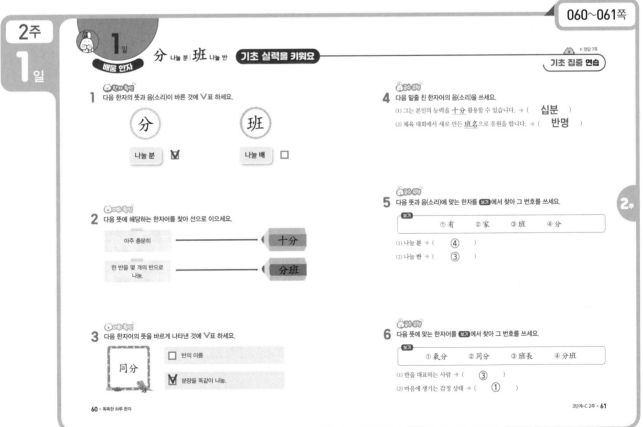

1 다음 한자의 뜻과 음(소리)이 바른 것에 ∨표 하세요.

分 班

나눌 분 ☑   나눌 배 ☐

2 다음 뜻에 해당하는 한자어를 찾아 선으로 이으세요.

아주 충분히 ───── 十分

한 반을 몇 개의 반으로 나눔. ───── 分班

3 다음 한자어의 뜻을 바르게 나타낸 것에 ∨표 하세요.

同分
☐ 반의 이름
☑ 분량을 똑같이 나눔.

4 다음 밑줄 친 한자어의 음(소리)을 쓰세요.
(1) 그는 본인의 능력을 十分 활용할 수 있습니다. → (십분)
(2) 체육 대회에서 새로 만든 班名으로 응원을 합니다. → (반명)

5 다음 뜻과 음(소리)에 맞는 한자를 보기 에서 찾아 그 번호를 쓰세요.

보기
① 有   ② 家   ③ 班   ④ 分

(1) 나눌 분 → (④)
(2) 나눌 반 → (③)

6 다음 뜻에 맞는 한자어를 보기 에서 찾아 그 번호를 쓰세요.

보기
① 氣分   ② 同分   ③ 班長   ④ 分班

(1) 반을 대표하는 사람 → (③)
(2) 마음에 생기는 감정 상태 → (①)

60 • 똑똑한 하루 한자

3단계-C 2주 • 61

3단계-C 정답 • **7**

2주 2일

2일 教 가르칠 교 | 育 기를 육 **기초 실력을 키워요**

기초 집중 연습

한자 확인

1 다음 한자의 뜻과 음(소리)으로 알맞은 것을 찾아 선으로 이으세요.

教   育

학교 교   가르칠 교   기를 육   집 실

어휘 확인

2 힌트를 보고 다음 빈칸에 들어갈 알맞은 글자를 써넣으세요.

체
생 육

힌트
• 체 : 운동을 통해 몸을 튼튼하게 하는 일
• 생 : 생물이 나서 길러짐. 낳아서 기름.

어휘 확인

3 다음에서 '교육(教育)'의 뜻을 바르게 설명한 것을 찾아 ○표 하세요.

나무를 심거나 씨를 뿌려 나무를 가꾸는 일
학습 활동이 이루어지는 방
지식 등을 가르치며 인격을 길러줌. ○

급수 유형

4 다음 밑줄 친 한자어의 음(소리)을 쓰세요.
(1) 수업 시간에는 教室에서 떠들면 안 됩니다. → (교실)
(2) 식물의 生育 과정은 온도에 많은 영향을 받습니다. → (생육)

급수 유형

5 보기 와 같이 다음 한자의 뜻과 음(소리)을 쓰세요.

보기
分 → 나눌 분

(1) 教 → (가르칠 교)
(2) 育 → (기를 육)

급수 유형

6 다음 밑줄 친 낱말에 해당하는 한자어를 보기 에서 찾아 그 번호를 쓰세요.

보기
① 教育   ② 教生   ③ 生育   ④ 育林

(1) 새로 오신 교생 선생님과 함께 축구를 했습니다. → (②)
(2) 봄에 심은 나무에 비료를 주는 등 육림 작업을 했습니다. → (④)

66 • 똑똑한 하루 한자

3단계-C 2주 • 67

2주 3일

3일 重 무거울 중 | 力 힘 력 **기초 실력을 키워요**

기초 집중 연습

한자 확인

1 다음 한자의 뜻과 음(소리)으로 알맞은 것을 찾아 선으로 이으세요.

重 —— 무겁다 —— 력
力 —— 힘 —— 중

어휘 확인

2 ○에 알맞은 글자를 넣어 낱말을 만드세요.

지구가 물체를 자구의 중심 방향으로 끌어 당기는 힘
중 력

온 힘
전 력

어휘 확인

3 다음 설명에 해당하는 한자어를 찾아 ○표 하세요.

설명
두 겹. 거듭함.

二重 ○   所重   自重

급수 유형

4 다음 밑줄 친 한자어의 음(소리)을 쓰세요.
(1) 끝까지 긴장을 놓지 말고 自重하자. → (자중)
(2) 어려운 숙제를 自力으로 끝냈습니다. → (자력)

급수 유형

5 다음 밑줄 친 낱말에 해당하는 한자어를 보기 에서 찾아 그 번호를 쓰세요.

보기
① 自力   ② 全力   ③ 所重   ④ 重力

(1) 달리기에서 1등을 하기 위해 전력을 다해 뛰었습니다. → (②)
(2) 물건이 위에서 아래로 떨어지는 것은 중력 때문입니다. → (④)

급수 유형

6 다음 뜻에 맞는 한자어를 보기 에서 찾아 그 번호를 쓰세요.

보기
① 自力   ② 自重   ③ 所重   ④ 全力

(1) 매우 귀중함. → (③)
(2) 자기 혼자의 힘 → (①)

72 • 똑똑한 하루 한자

3단계-C 2주 • 73

2주
4일

4일
배울 한자 安 편안 안 | 全 온전 전 · **기초 실력을 키워요**

정답 9쪽
기초 집중 연습

1 다음 한자의 뜻과 음(소리)을 쓰세요.

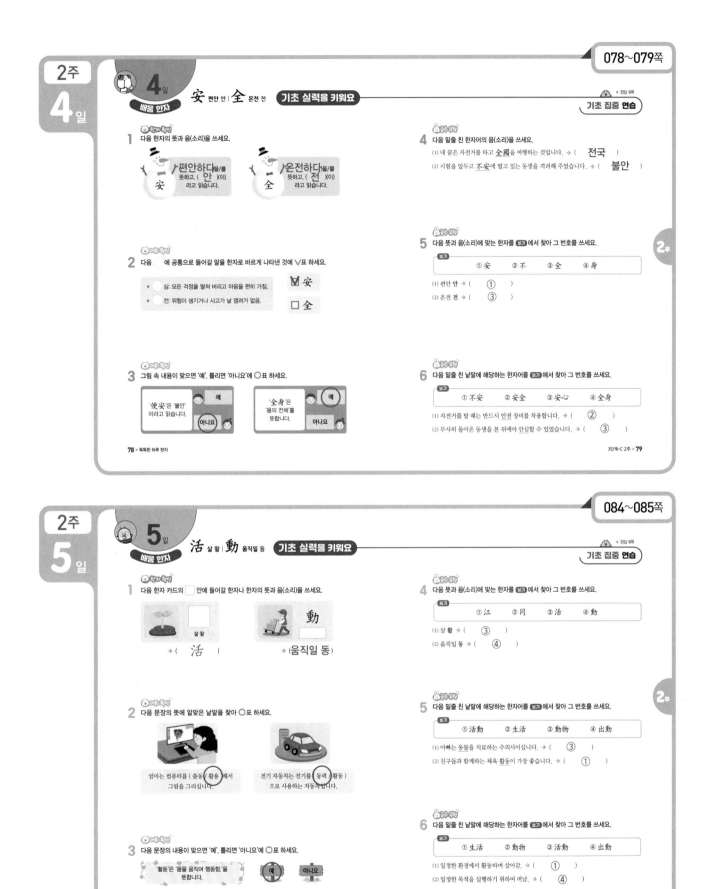

安
편안하다을/를
뜻하고, (**안** X이)
라고 읽습니다.

全
온전하다을/를
뜻하고, (**전** X이)
라고 읽습니다.

4 다음 밑줄 친 한자어의 음(소리)을 쓰세요.
(1) 내 꿈은 자전거를 타고 全國을 여행하는 것입니다. → (**전국**)
(2) 시험을 앞두고 不安에 떨고 있는 동생을 격려해 주었습니다. → (**불안**)

2 다음 ◯에 공통으로 들어갈 말을 한자로 바르게 나타낸 것에 ✔표 하세요.

· ◯심: 모든 걱정을 떨쳐 버리고 마음을 편히 가짐.
· ◯전: 위험이 생기거나 사고가 날 염려가 없음.

☑ 安
☐ 全

5 다음 뜻과 음(소리)에 맞는 한자를 보기에서 찾아 그 번호를 쓰세요.

보기
① 安 ② 不 ③ 全 ④ 身

(1) 편안 안 → (①)
(2) 온전 전 → (③)

3 그림 속 내용이 맞으면 '예', 틀리면 '아니요'에 ◯표 하세요.

'便安'은 '불안'
이라고 읽습니다.

예
아니요

'全身'은
'몸의 전체'를
뜻합니다.

예
아니요

6 다음 밑줄 친 낱말에 해당하는 한자어를 보기에서 찾아 그 번호를 쓰세요.

보기
① 不安 ② 安全 ③ 安心 ④ 全身

(1) 자전거를 탈 때는 반드시 안전 장비를 착용합니다. → (②)
(2) 무사히 돌아온 동생을 본 뒤에야 안심할 수 있었습니다. → (③)

78 · 똑똑한 하루 한자

3단계-C 2주 · 79

2주
5일

5일
배울 한자 活 살 활 | 動 움직일 동 · **기초 실력을 키워요**

정답 9쪽
기초 집중 연습

1 다음 한자 카드의 ☐ 안에 들어갈 한자나 한자의 뜻과 음(소리)을 쓰세요.

살 활
→ (活)

動
→ (움직일 동)

4 다음 뜻과 음(소리)에 맞는 한자를 보기에서 찾아 그 번호를 쓰세요.

보기
① 江 ② 同 ③ 活 ④ 動

(1) 살 활 → (③)
(2) 움직일 동 → (④)

2 다음 문장의 뜻에 알맞은 낱말을 찾아 ◯표 하세요.

엄마는 컴퓨터를 (출동 / 활용) 해서
그림을 그리십니다.

전기 자동차는 전기를 (동력 / 활동)
으로 사용하는 자동차입니다.

5 다음 밑줄 친 낱말에 해당하는 한자어를 보기에서 찾아 그 번호를 쓰세요.

보기
① 活動 ② 生活 ③ 動物 ④ 出動

(1) 아빠는 동물을 치료하는 수의사이십니다. → (③)
(2) 친구들과 함께하는 체육 활동이 가장 좋습니다. → (①)

3 다음 문장의 내용이 맞으면 '예', 틀리면 '아니요'에 ◯표 하세요.

'활동'은 '몸을 움직여 행동함.'을
뜻합니다.

예
아니요

6 다음 밑줄 친 낱말에 해당하는 한자어를 보기에서 찾아 그 번호를 쓰세요.

보기
① 生活 ② 動物 ③ 活動 ④ 出動

(1) 일정한 환경에서 활동하며 살아감. → (①)
(2) 일정한 목적을 실행하기 위하여 떠남. → (④)

84 · 똑똑한 하루 한자

3단계-C 2주 · 85

2주 TEST

2주 누구나 100점 TEST

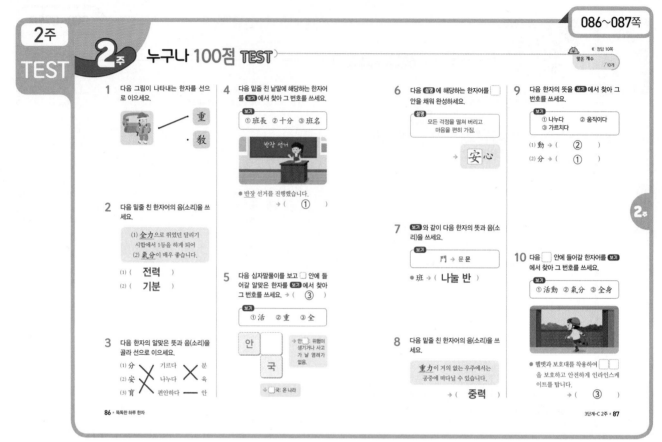

1 다음 그림이 나타내는 한자를 선으로 이으세요.

重 · 教

2 다음 밑줄 친 한자어의 음(소리)을 쓰세요.

(1) **全力**으로 뛰었던 달리기 시합에서 1등을 하게 되어
(2) **氣分**이 매우 좋습니다.

(1) (전력)
(2) (기분)

3 다음 한자의 알맞은 뜻과 음(소리)을 골라 선으로 이으세요.

(1) 分 — 기르다 — 분
(2) 安 — 나누다 — 육
(3) 育 — 편안하다 — 안

4 다음 밑줄 친 낱말에 해당하는 한자어를 보기에서 찾아 그 번호를 쓰세요.

보기
① 班長 ② 十分 ③ 班名

● 반장 선거를 진행했습니다. → (①)

5 다음 십자말풀이를 보고 □ 안에 들어갈 알맞은 한자를 보기에서 찾아 그 번호를 쓰세요. → (③)

보기
① 活 ② 重 ③ 全

안□
□국

안□: 위험이 생기거나 사고가 날 염려가 없음.
□국: 온 나라

6 다음 설명에 해당하는 한자어를 □ 안에 채워 완성하세요.

설명
모든 걱정을 떨쳐 버리고 마음을 편히 가짐.

→ 安心

7 보기와 같이 다음 한자의 뜻과 음(소리)을 쓰세요.

보기
門 → 문 문

● 班 → (나눌 반)

8 다음 밑줄 친 한자어의 음(소리)을 쓰세요.

重力이 거의 없는 우주에서는 공중에 떠다닐 수 있습니다.

→ (중력)

9 다음 한자의 뜻을 보기에서 찾아 그 번호를 쓰세요.

보기
① 나누다 ② 움직이다 ③ 가르치다

(1) 動 → (②)
(2) 分 → (①)

10 다음 □ 안에 들어갈 한자어를 보기에서 찾아 그 번호를 쓰세요.

보기
① 活動 ② 氣分 ③ 全身

● 헬멧과 보호대를 착용하여 □을 보호하고 안전하게 인라인스케이트를 탑니다.

→ (③)

2주 특강

2주 특강 생각을 키워요 ❶

창의·융합·코딩

국어+인문 다음 만화를 읽고, 성어의 뜻을 생각해 보세요.

愛 之 重 之
사랑 애   갈 지   무거울 중   갈 지

◆ 성어의 뜻을 살펴보며 빈칸에 알맞은 한자를 채우세요.

애   지   중   지
愛 之 重 之

→ '사랑하고 소중히 여긴다.'라는 뜻으로, 어떤 것을 대단히 소중하게 아끼는 모습을 이르는 말

2주 특강

2주 특강 생각을 키워요 ❷

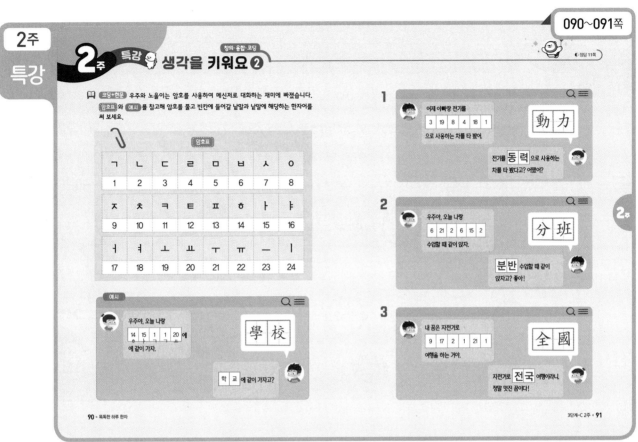

2주 특강

2주 특강 생각을 키워요 ❸

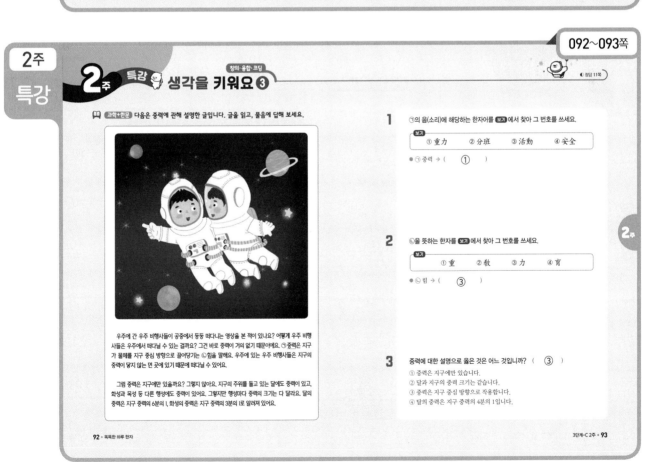

096~097쪽

3주 도입

3주

3주에는 무엇을 공부할까? ❷

◌ 이번 주에 배울 한자들이 그림 속에 숨어 있어요. 보기를 참고해서 한자를 찾아 ◯표 하고, 꿀벌 중 꽃을 들고 있는 꽃 도둑을 찾아 ☆표 하세요.

보기 百 일백 백 千 일천 천 萬 일만 만 一 한 일 小 작을 소
數 셈 수 六 여섯 륙 角 뿔 각 電 번개 전 算 셈 산

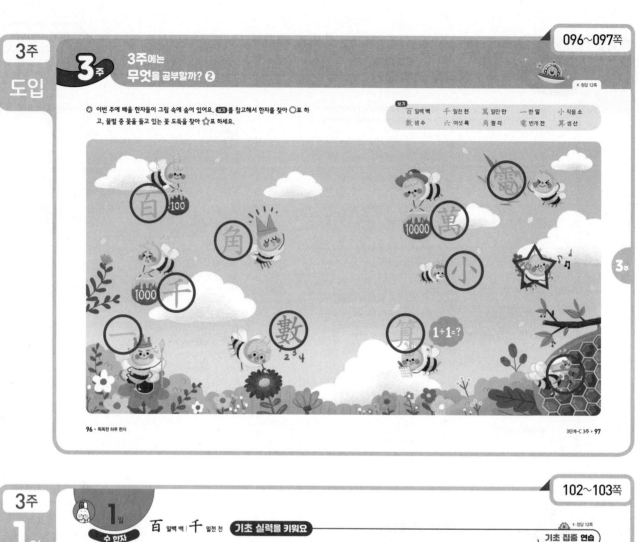

96 • 똑똑한 하루 한자

3단계-C 3주 • 97

102~103쪽

3주 1일

1일

수 한자 百 일백 백 | 千 일천 천 **기초 실력을 키워요** **기초 집중 연습**

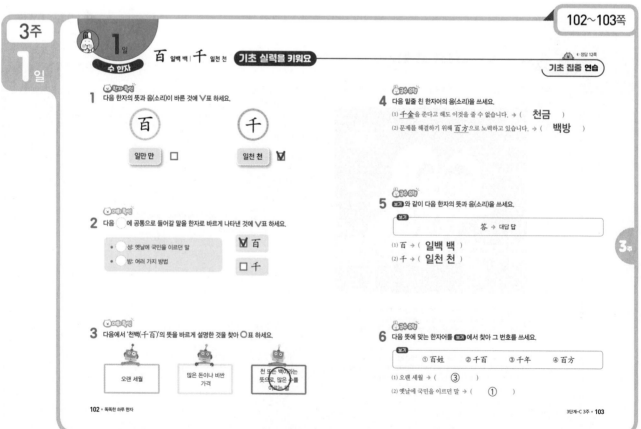

1 다음 한자의 뜻과 음(소리)이 바른 것에 ✔표 하세요.

百 → 일만 만 ☐ 千 → 일천 천 ✔

2 다음 ◯에 공통으로 들어갈 말을 한자로 바르게 나타낸 것에 ✔표 하세요.
- ◯성: 옛날에 국민을 이르던 말
- ◯방: 여러 가지 방법

✔ 百
☐ 千

3 다음에서 '천백(千百)'의 뜻을 바르게 설명한 것을 찾아 ◯표 하세요.

오랜 세월 / 많은 돈이나 비싼 가격 / 천 또는 백이라는 뜻으로, 많은 것을 이르는 말

4 다음 밑줄 친 한자어의 음(소리)을 쓰세요.
(1) 千金을 준다고 해도 이것을 줄 수 없습니다. → (천금)
(2) 문제를 해결하기 위해 百方으로 노력하고 있습니다. → (백방)

5 보기와 같이 다음 한자의 뜻과 음(소리)을 쓰세요.
보기 答 → 대답 답
(1) 百 → (일백 백)
(2) 千 → (일천 천)

6 다음 뜻에 맞는 한자어를 보기에서 찾아 그 번호를 쓰세요.
보기 ① 百姓 ② 千百 ③ 千年 ④ 百方
(1) 오랜 세월 → (③)
(2) 옛날에 국민을 이르던 말 → (①)

102 • 똑똑한 하루 한자

3단계-C 3주 • 103

3주 2일

2일 수 한자 | 萬 일만 만 | 一 한 일 | 기초 실력을 키워요 | 기초 집중 연습

정답 13쪽

1 다음 한자의 뜻과 음(소리)으로 알맞은 것을 찾아 선으로 이으세요.

萬 　 一

일만 만 　 일천 천 　 한 일 　 날 일

2 다음 설명에 해당하는 한자어를 찾아 ○표 하세요.

설명: 혹시 있을지도 모르는 뜻밖의 경우

萬一 　 萬國 　 萬全

3 그림 속 내용이 맞으면 '예', 틀리면 '아니요'에 ○표 하세요.

'만물'은 '세상에 있는 모든 것, 갖가지 수많은 물건'을 뜻합니다. → 예 / 아니요

'一日'은 '일월'이라고 읽습니다. → 예 / 아니요

4 다음 밑줄 친 한자어의 음(소리)을 쓰세요.

(1) 아빠는 萬一을 대비해서 항상 안전 운전을 하십니다. → (만일)

(2) 할머니께서는 一生 동안 모으신 돈을 기부하셨습니다. → (일생)

5 다음 뜻과 음(소리)에 맞는 한자를 보기에서 찾아 그 번호를 쓰세요.

보기: ① 一 　 ② 百 　 ③ 千 　 ④ 萬

(1) 일만 만 → (④)

(2) 한 일 → (①)

6 다음 밑줄 친 낱말에 해당하는 한자어를 보기에서 찾아 그 번호를 쓰세요.

보기: ① 萬國 　 ② 萬全 　 ③ 一日 　 ④ 一生

(1) 매월 일일마다 청소 당번이 바뀝니다. → (③)

(2) 장군과 병사들은 만전의 준비를 마쳤습니다. → (②)

108 · 똑똑한 하루 한자　　　3단계-C 3주 · 109

3주 3일

3일 수 한자 | 小 작을 소 | 數 셈 수 | 기초 실력을 키워요 | 기초 집중 연습

정답 13쪽

1 다음 한자 카드의 □ 안에 들어갈 한자나 한자의 뜻과 음(소리)을 쓰세요.

작을 소 → (小)

數 → (셈 수)

2 다음 뜻에 해당하는 한자어를 찾아 선으로 이으세요.

조심성이 많음. 마음 씀씀이가 작음. 　 小小

작고 대수롭지 않은 　 小心

3 다음 한자어의 뜻을 바르게 나타낸 것에 ∨표 하세요.

數百

∨ 백의 여러 배가 되는 수

□ 두서너 해. 또는 대여섯 해

4 다음 뜻과 음(소리)에 맞는 한자를 보기에서 찾아 그 번호를 쓰세요.

보기: ① 數 　 ② 所 　 ③ 小 　 ④ 登

(1) 작을 소 → (③)

(2) 셈 수 → (①)

5 다음 밑줄 친 낱말에 해당하는 한자어를 보기에서 찾아 그 번호를 쓰세요.

보기: ① 小分 　 ② 數年 　 ③ 小數 　 ④ 數百

(1) 집을 떠난 지 벌써 수년이 지났습니다. → (②)

(2) 그는 가진 식량을 소분해 저장했습니다. → (①)

6 다음 뜻에 맞는 한자어를 보기에서 찾아 그 번호를 쓰세요.

보기: ① 數年 　 ② 小數 　 ③ 小心 　 ④ 數百

(1) 백의 여러 배가 되는 수 → (④)

(2) 0.1과 같이 일의 자리보다 작은 자리의 값을 가진 수 → (②)

114 · 똑똑한 하루 한자　　　3단계-C 3주 · 115

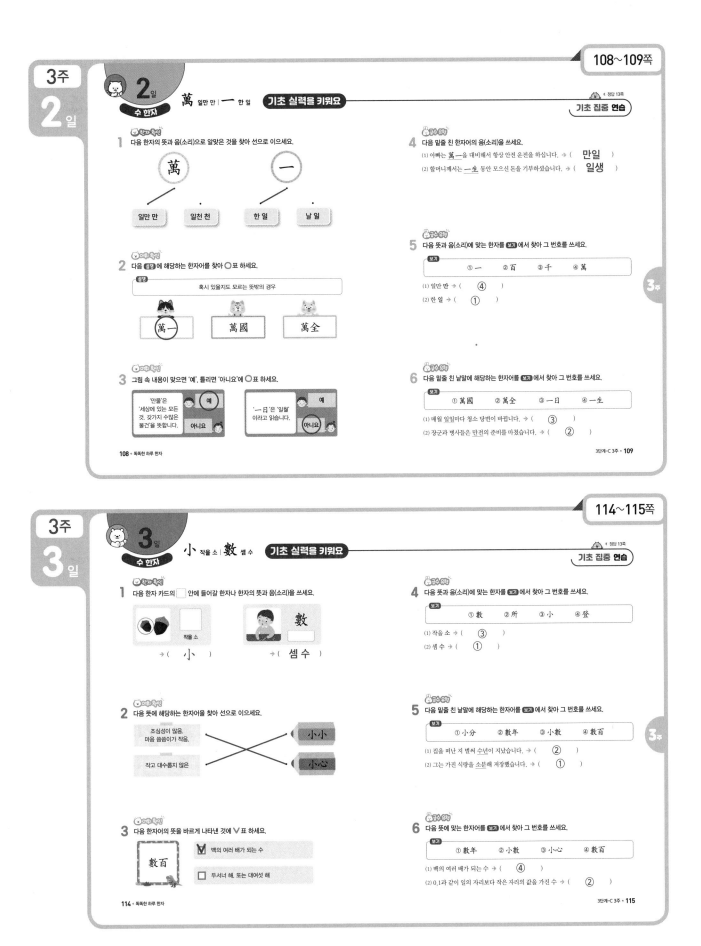

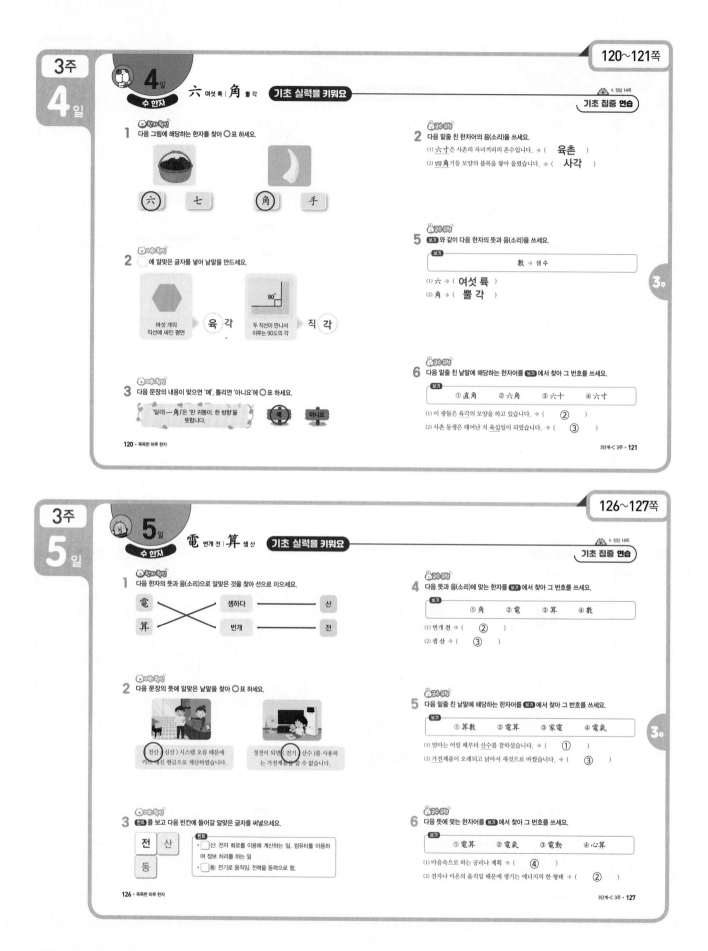

3주
4일

4일
수 한자

六 여섯 륙 | 角 뿔 각 **기초 실력을 키워요**

정답 14쪽

기초 집중 연습

1 다음 그림에 해당하는 한자를 찾아 ○표 하세요.

六 七 角 手

2 ○에 알맞은 글자를 넣어 낱말을 만드세요.

여섯 개의 직선에 싸인 평면 → 육 각

두 직선이 만나서 이루는 90도의 각 → 직 각

3 다음 문장의 내용이 맞으면 '예', 틀리면 '아니요'에 ○표 하세요.

'일각(一角)'은 '한 귀퉁이, 한 방향'을 뜻합니다.

예 아니요

2 다음 밑줄 친 한자어의 음(소리)을 쓰세요.

(1) 六寸은 사촌의 자녀끼리의 촌수입니다. → (육촌)

(2) 四角기둥 모양의 블록을 쌓아 올렸습니다. → (사각)

5 보기 와 같이 다음 한자의 뜻과 음(소리)을 쓰세요.

보기
數 → 셈 수

(1) 六 → (여섯 륙)

(2) 角 → (뿔 각)

6 다음 밑줄 친 낱말에 해당하는 한자어를 보기 에서 찾아 그 번호를 쓰세요.

보기
① 直角 ② 六角 ③ 六十 ④ 六寸

(1) 이 광물은 육각의 모양을 하고 있습니다. → (②)

(2) 사촌 동생이 태어난 지 육십일이 되었습니다. → (③)

3주
5일

5일
수 한자

電 번개 전 | 算 셈 산 **기초 실력을 키워요**

정답 14쪽

기초 집중 연습

1 다음 한자의 뜻과 음(소리)으로 알맞은 것을 찾아 선으로 이으세요.

電 ─ 셈하다 ─ 산
算 ─ 번개 ─ 전

2 다음 문장의 뜻에 알맞은 낱말을 찾아 ○표 하세요.

(전산 심산) 시스템 오류 때문에 카드 대신 현금으로 계산하였습니다.

정전이 되면 (전기 산수)를 사용하는 가전제품을 쓸 수 없습니다.

3 힌트를 보고 다음 빈칸에 들어갈 알맞은 글자를 써넣으세요.

전 산

동

힌트
• □산: 전자 회로를 이용해 계산하는 일. 컴퓨터를 이용하여 정보 처리를 하는 일.
• □동: 전기로 움직임. 전력을 동력으로 함.

4 다음 뜻과 음(소리)에 맞는 한자를 보기 에서 찾아 그 번호를 쓰세요.

보기
① 角 ② 電 ③ 算 ④ 數

(1) 번개 전 → (②)

(2) 셈 산 → (③)

5 다음 밑줄 친 낱말에 해당하는 한자어를 보기 에서 찾아 그 번호를 쓰세요.

보기
① 算數 ② 電算 ③ 家電 ④ 電氣

(1) 엄마는 어릴 때부터 산수를 잘하셨습니다. → (①)

(2) 가전제품이 오래되고 낡아서 새것으로 바꿨습니다. → (③)

6 다음 뜻에 맞는 한자어를 보기 에서 찾아 그 번호를 쓰세요.

보기
① 電算 ② 電氣 ③ 電動 ④ 心算

(1) 마음속으로 하는 궁리나 계획 → (④)

(2) 전자나 이온의 움직임 때문에 생기는 에너지의 한 형태 → (②)

3주 누구나 100점 TEST

정답 15쪽
맞은 개수 /10개

1 다음 그림이 나타내는 한자를 선으로 이으세요.

千
百

2 다음 밑줄 친 낱말에 해당하는 한자어를 보기 에서 찾아 그 번호를 쓰세요.

보기
① 千金 ② 數年 ③ 千百

● 몽이는 천금과도 바꿀 수 없는 소중한 제 강아지입니다.
→ (①)

3 보기 와 같이 다음 한자의 뜻과 음(소리)을 쓰세요.

보기
安 → 편안 안

● 算 → (셈 산)

4 다음 십자말풀이를 보고 □ 안에 들어갈 알맞은 한자를 보기 에서 찾아 그 번호를 쓰세요. → (③)

보기
① 萬 ② 算 ③ 小

□ 소 → 소: 작고 대수롭지 않은
□ 심

→ □심: 조심성이 많음. 마음 씀씀이가 작음.

5 다음 밑줄 친 한자의 음(소리)을 쓰세요.

만(1)一의 상황을 대비해 (2)萬전을 기해야 합니다.

(1) (일)
(2) (만)

6 다음 한자의 알맞은 뜻과 음(소리)을 골라 선으로 이으세요.

(1) 數 ─ 작다 ─ 전
(2) 小 ─ 셈하다 ─ 소
(3) 電 ─ 번개 ─ 수

7 다음 □ 안에 들어갈 한자어를 보기 에서 찾아 그 번호를 쓰세요.

보기
① 算數 ② 電氣 ③ 小心

● □가 끊겨 냉장고의 아이스크림이 녹았습니다.
→ (②)

8 다음 한자의 뜻을 보기 에서 찾아 그 번호를 쓰세요.

보기
① 뿔 ② 여섯 ③ 일천

(1) 六 → (②)
(2) 角 → (①)

9 다음 한자 카드의 □ 안에 알맞은 한자의 뜻과 음(소리)을 쓰세요.

(1)
萬
일만 만

(2)
電
번개 전

10 다음 설명 에 해당하는 한자어를 □ 안을 채워 완성하세요.

설명
여러 가지 방법

→ 百 方

3주 특강 창의·융합·코딩 생각을 키워요 ❶

정답 15쪽

국어+인문 다음 만화를 읽고, 성어의 뜻을 생각해 보세요.

小 貪 大 失
작을 소 탐할 탐 큰 대 잃을 실

◆ 성어의 뜻을 살펴보며 빈칸에 알맞은 한자를 채우세요.

소 / 탐 / 대 / 실
小 貪 大 失

→ '작은 것을 탐하다가 큰 것을 잃는다.'라는 뜻으로, 작은 이익에 욕심을 부리다가 더 큰 손해를 보는 어리석음을 이르는 말

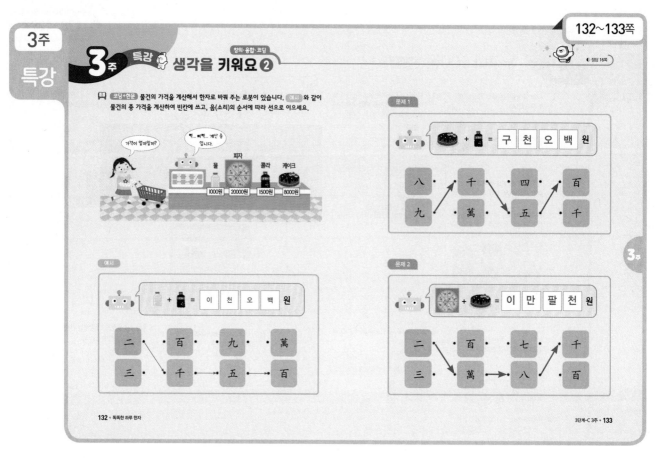

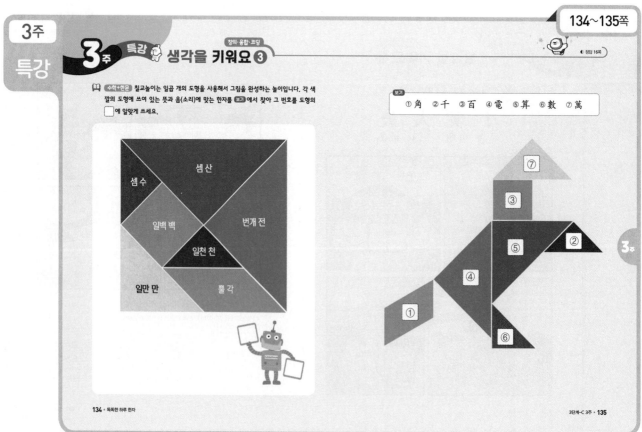

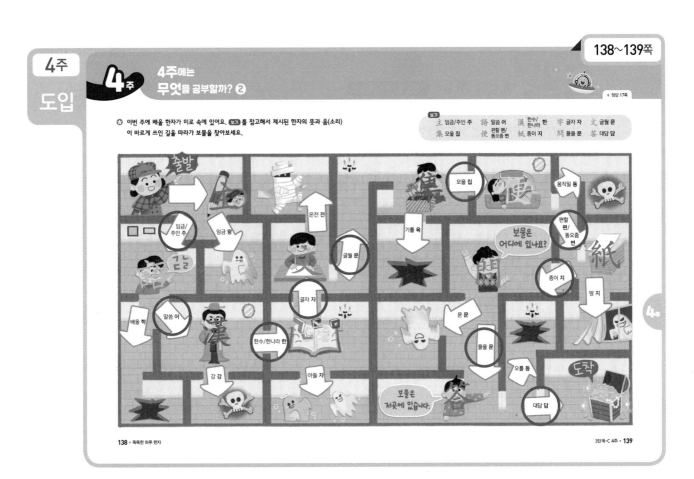

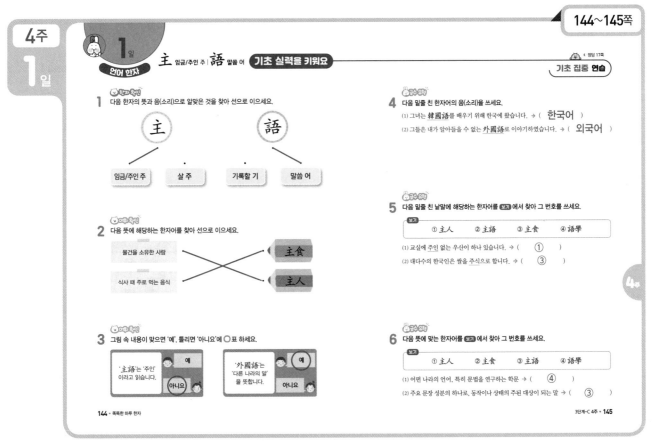

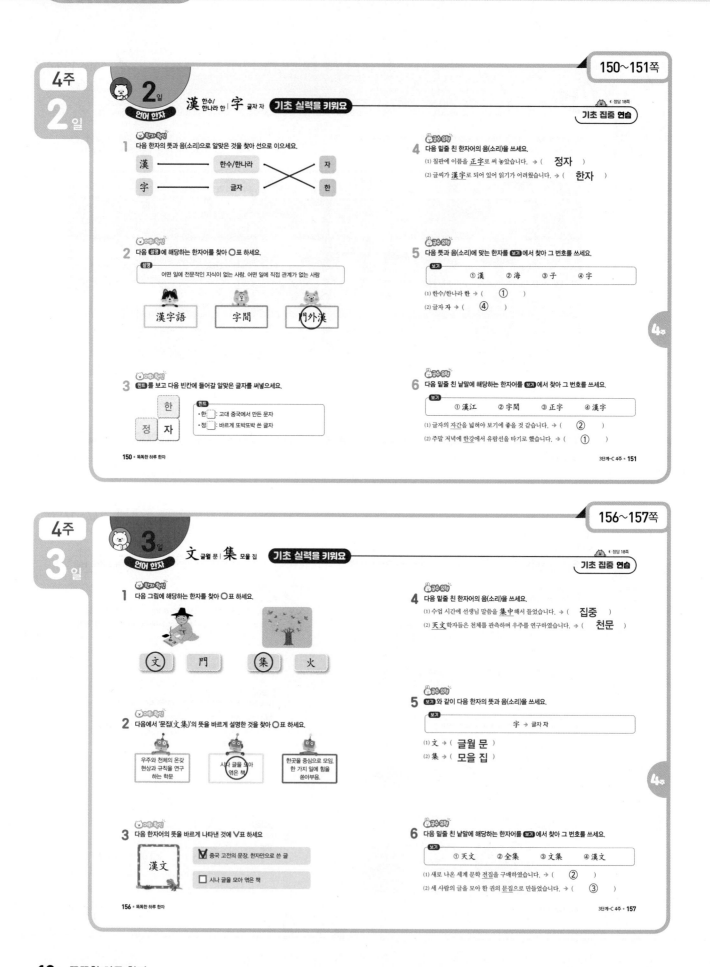

4주 2일

2일 언어 한자 漢 한수/한나라 한 | 字 글자 자 **기초 실력을 키워요**

정답 18쪽

기초 집중 연습

1 다음 한자의 뜻과 음(소리)으로 알맞은 것을 찾아 선으로 이으세요.

漢 —— 한수/한나라 ╳ 자
字 —— 글자 ╳ 한

2 다음 설명에 해당하는 한자어를 찾아 〇표 하세요.

설명 | 어떤 일에 전문적인 지식이 없는 사람. 어떤 일에 직접 관계가 없는 사람

漢字語   字間   門外漢(〇)

3 힌트를 보고 다음 빈칸에 들어갈 알맞은 글자를 써넣으세요.

한
정 자

힌트
· 한자 : 고대 중국에서 만든 문자
· 정자 : 바르게 또박또박 쓴 글자

4 다음 밑줄 친 한자어의 음(소리)을 쓰세요.
(1) 칠판에 이름을 正字로 써 놓았습니다. → (정자)
(2) 글씨가 漢字로 되어 있어 읽기가 어려웠습니다. → (한자)

5 다음 뜻과 음(소리)에 맞는 한자를 보기에서 찾아 그 번호를 쓰세요.
보기 | ① 漢 ② 海 ③ 子 ④ 字
(1) 한수/한나라 한 → (①)
(2) 글자 자 → (④)

6 다음 밑줄 친 낱말에 해당하는 한자어를 보기에서 찾아 그 번호를 쓰세요.
보기 | ① 漢江 ② 字間 ③ 正字 ④ 漢字
(1) 글자의 자간을 넓혀야 보기에 좋을 것 같습니다. → (②)
(2) 주말 저녁에 한강에서 유람선을 타기로 했습니다. → (①)

4주 3일

3일 언어 한자 文 글월 문 | 集 모을 집 **기초 실력을 키워요**

정답 18쪽

기초 집중 연습

1 다음 그림에 해당하는 한자를 찾아 〇표 하세요.

文(〇)   門   集(〇)   火

2 다음에서 '문집(文集)'의 뜻을 바르게 설명한 것을 찾아 〇표 하세요.

우주와 천체의 온갖 현상과 규칙을 연구하는 학문
시나 글을 모아 엮은 책 (〇)
한곳을 중심으로 모임. 한 가지 일에 힘을 쏟아부음.

3 다음 한자어의 뜻을 바르게 나타낸 것에 ✓표 하세요

漢文
☑ 중국 고전의 문장. 한자만으로 쓴 글
☐ 시나 글을 모아 엮은 책

4 다음 밑줄 친 한자어의 음(소리)을 쓰세요.
(1) 수업 시간에 선생님 말씀을 集中해서 들었습니다. → (집중)
(2) 天文학자들은 천체를 관측하며 우주를 연구하였습니다. → (천문)

5 보기와 같이 다음 한자의 뜻과 음(소리)을 쓰세요.
보기 | 字 → 글자 자
(1) 文 → (글월 문)
(2) 集 → (모을 집)

6 다음 밑줄 친 낱말에 해당하는 한자어를 보기에서 찾아 그 번호를 쓰세요.
보기 | ① 天文 ② 全集 ③ 文集 ④ 漢文
(1) 새로 나온 세계 문학 전집을 구매하였습니다. → (②)
(2) 세 사람의 글을 모아 한 권의 문집으로 만들었습니다. → (③)

4주
4일

4일 언어 한자 便 편할 편/똥오줌 변 | 紙 종이 지 **기초 실력을 키워요**

정답 19쪽

기초 집중 연습

1 다음 한자의 뜻과 음(소리)이 바른 것에 ∨표 하세요.

便 — 쉴 휴 ☐

紙 — 종이 지 ☑

2 다음 ☐에 공통으로 들어갈 말을 한자로 바르게 나타낸 것에 ∨표 하세요.

- ☐편 : 안부, 소식, 용무 등을 적어 보내는 글
- 색☐ : 여러 가지 색깔로 물들인 종이

☐ 地
☑ 紙

3 다음 문장의 내용이 맞으면 '예', 틀리면 '아니요'에 ○표 하세요.

'방편(方便)'은 '그때그때의 경우에 따라 편하고 쉽게 이용하는 수단과 방법'을 뜻합니다.

예 아니요

4 다음 뜻과 음(소리)에 맞는 한자를 보기에서 찾아 그 번호를 쓰세요.

보기
①便 ②方 ③紙 ④男

(1) 편할 편/똥오줌 변 → (①)
(2) 종이 지 → (③)

5 다음 밑줄 친 낱말에 해당하는 한자어를 보기에서 찾아 그 번호를 쓰세요.

보기
①不便 ②方便 ③休紙 ④便紙

(1) 책상이 낮고 작아서 조금 불편합니다. → (①)
(2) 손자국이 난 거울을 휴지로 문질러 닦았습니다. → (③)

6 다음 뜻에 맞는 한자어를 보기에서 찾아 그 번호를 쓰세요.

보기
①便紙 ②男便 ③不便 ④色紙

(1) 여러 가지 색깔로 물들인 종이 → (④)
(2) 결혼하여 여자의 짝이 된 남자 → (②)

162 · 똑똑한 하루 한자

3단계-C 4주 · 163

4주
5일

5일 언어 한자 問 물을 문 | 答 대답 답 **기초 실력을 키워요**

정답 19쪽

기초 집중 연습

1 다음 한자 카드의 ☐ 안에 들어갈 한자나 한자의 뜻과 음(소리)을 쓰세요.

물을 문 → (問)

答 → (대답 답)

2 ○에 알맞은 글자를 넣어 낱말을 만드세요.

웃어른께 안부를 여쭘. 문○안 → 問안

옳은 답 정○답 → 정답

3 낱말판에서 설명에 해당하는 낱말을 찾아 ○표 하세요.

전	기	술
자	답	사
신	지	회

설명
스스로 자기에게 물은 것에 대하여 스스로 대답함.

4 다음 밑줄 친 한자어의 음(소리)을 쓰세요.

(1) 강연이 끝나고 잠시 問答을 하는 시간을 가졌습니다. → (문답)
(2) 남녀노소를 不問하고 모두가 그녀의 노래를 좋아했습니다. → (불문)

5 보기와 같이 다음 한자의 뜻과 음(소리)을 쓰세요.

보기
紙 → 종이 지

(1) 問 → (물을 문)
(2) 答 → (대답 답)

6 다음 밑줄 친 낱말에 해당하는 한자어를 보기에서 찾아 그 번호를 쓰세요.

보기
①問答 ②問安 ③自問 ④正答

(1) 할아버지께 문안 인사를 드렸습니다. → (②)
(2) 내가 스스로 잘했는지를 자문해 보았습니다. → (③)

168 · 똑똑한 하루 한자

3단계-C 4주 · 169

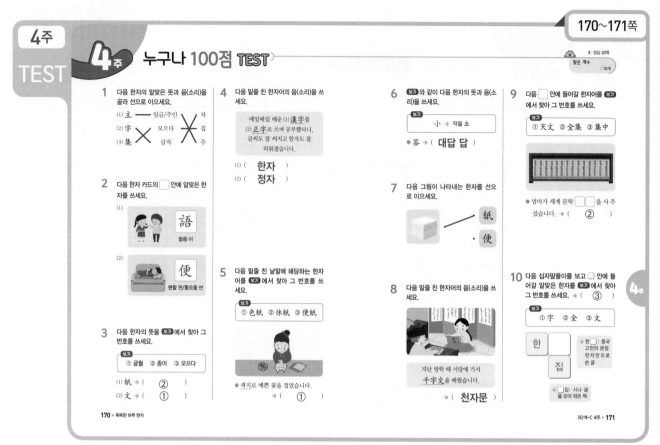

4주 TEST

4주 누구나 100점 TEST

1 다음 한자의 알맞은 뜻과 음(소리)을 골라 선으로 이으세요.
(1) 主 — 임금/주인 — 자
(2) 字 — 모으다 — 집
(3) 集 — 글자 — 주

2 다음 한자 카드의 □ 안에 알맞은 한자를 쓰세요.
(1) 語 말씀 어
(2) 便 편할 편/똥오줌 변

3 다음 한자의 뜻을 보기 에서 찾아 그 번호를 쓰세요.
보기
① 글월 ② 종이 ③ 모으다
(1) 紙 → (②)
(2) 文 → (①)

4 다음 밑줄 친 한자어의 음(소리)을 쓰세요.
매일매일 배운 (1)漢字를 (2)正字로 쓰며 공부했더니, 글씨도 잘 써지고 한자도 잘 외워졌습니다.
(1) (한자)
(2) (정자)

5 다음 밑줄 친 낱말에 해당하는 한자어를 보기 에서 찾아 그 번호를 쓰세요.
보기
① 色紙 ② 休紙 ③ 便紙
● 색지로 예쁜 꽃을 접었습니다.
→ (①)

6 보기 와 같이 다음 한자의 뜻과 음(소리)을 쓰세요.
보기
小 → 작을 소
● 答 → (대답 답)

7 다음 그림이 나타내는 한자를 선으로 이으세요.
紙
便

8 다음 밑줄 친 한자어의 음(소리)을 쓰세요.
지난 방학 때 서당에 가서 千字文을 배웠습니다.
→ (천자문)

9 다음 □ 안에 들어갈 한자어를 보기 에서 찾아 그 번호를 쓰세요.
보기
① 天文 ② 全集 ③ 集中
● 엄마가 세계 문학 □□을 사 주셨습니다. → (②)

10 다음 십자말풀이를 보고 □ 안에 들어갈 알맞은 한자를 보기 에서 찾아 그 번호를 쓰세요.
보기
① 字 ② 全 ③ 文
한 □
□ 집
→ 한□ : 중국 고전의 문장. 한자만으로 쓴 글
→ □집 : 시나 글을 모아 엮은 책

4주 특강

4주 특강 생각을 키워요 ❶

창의·융합·코딩

국어+한문 다음 만화를 읽고, 성어의 뜻을 생각해 보세요.

集小成大
모을 집 작을 소 이룰 성 큰 대

◆ 성어의 뜻을 살펴보며 빈칸에 알맞은 한자를 채우세요.
집 소 성 대
集 小 成 大
→ '작은 것들이 모여 큰 것을 이룬다.'라는 뜻으로, 작은 것이라도 꾸준히 모은다면 결국에 큰 것을 이룰 수 있는 것을 이르는 말

4주 특강

4주 특강 🔵 생각을 키워요 ❷
창의·융합·코딩

● 정답 21쪽

코딩+한문 다음 그림과 같이 밸브가 열려 있거나 닫혀 있을 때, 아래쪽에 물이 채워지는 물통을 색칠해 보고, 그 한자의 뜻과 음(소리)을 빈칸에 쓰세요.

◆ : 열림 ● : 닫힘

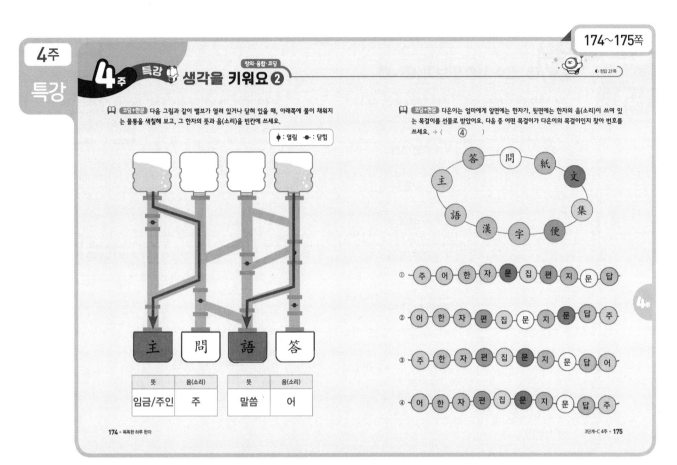

뜻	음(소리)	뜻	음(소리)
임금/주인	주	말씀	어

코딩+한문 다은이는 엄마에게 앞면에는 한자가, 뒷면에는 한자의 음(소리)이 쓰여 있는 목걸이를 선물로 받았어요. 다음 중 어떤 목걸이가 다은이의 목걸이인지 찾아 번호를 쓰세요. → (④)

① 주 어 한 자 **문** 집 **편** 지 문 답

② 어 한 자 **편** 집 문 지 **문** 답 주

③ 주 한 자 편 **집** 문 지 문 답 어

④ 어 한 자 **편** 집 **문** 지 문 답 주

4주 특강

4주 특강 🔵 생각을 키워요 ❸
창의·융합·코딩

● 정답 21쪽

과학+한문 다음은 소금물로 비밀 편지를 쓰는 방법에 대한 글입니다. 글을 읽고, 물음에 답해 보세요.

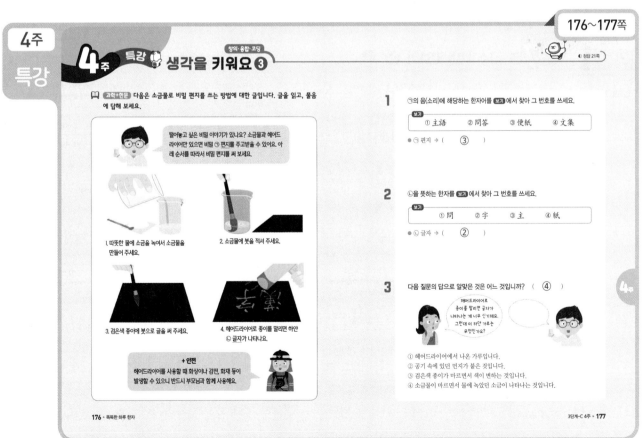

딸에게 하고 싶은 비밀 이야기가 있나요? 소금물과 헤어드라이어만 있으면 비밀 ① 편지를 주고받을 수 있어요. 아래 순서를 따라서 비밀 편지를 써 보세요.

1. 따뜻한 물에 소금을 녹여서 소금물을 만들어 주세요.

2. 소금물에 붓을 적셔 주세요.

3. 검은색 종이에 붓으로 글을 써 주세요.

4. 헤어드라이어로 종이를 말리면 하얀 ① 글자가 나타나요.

+ 안전
헤어드라이어를 사용할 때 화상이나 감전, 화재 등이 발생할 수 있으니 반드시 부모님과 함께 사용해요.

1 ①의 음(소리)에 해당하는 한자어를 **보기** 에서 찾아 그 번호를 쓰세요.

보기 ① 主語 ② 問答 ③ 便紙 ④ 文集

● ① 편지 → (③)

2 ①을 뜻하는 한자를 **보기** 에서 찾아 그 번호를 쓰세요.

보기 ① 問 ② 字 ③ 主 ④ 紙

● ① 글자 → (②)

3 다음 질문의 답으로 알맞은 것은 어느 것입니까? (④)

헤어드라이어로 종이를 말리면 글자가 나타나는 게 너무 신기해요. 그런데 이 하얀 색깔은 무엇인가요?

① 헤어드라이어에서 나온 가루입니다.
② 공기 속에 있던 먼지가 붙은 것입니다.
③ 검은색 종이가 마르면서 색이 변하는 것입니다.
④ 소금물이 마르면서 물에 녹았던 소금이 나타나는 것입니다.

7급 급수 시험

7급 급수 시험 맛보기 ❶회

◀ 정답 22쪽

[문제 1~5] 다음 밑줄 친 漢字語한자어의 음(音: 소리)을 쓰세요.

> 보기
> 漢字 → 한자

1 安全 수칙은 꼭 지켜야 합니다. (안전)

2 그는 그녀의 생일 便紙를 쓰고 있습니다. (편지)

3 우리는 萬一을 대비하여 열심히 준비하여야 합니다. (만일)

4 우리는 달마다 봉사 活動을 합니다. (활동)

5 0.1과 같이 일의 자리보다 작은 자리의 값을 가진 수를 小數라고 합니다. (소수)

[문제 6~9] 다음 漢字한자의 訓(훈: 뜻)과 음(音: 소리)을 쓰세요.

> 보기
> 字 → 글자 자

6 電 (번개 전)

7 語 (말씀 어)

8 敎 (가르칠 교)

9 同 (한가지 동)

[문제 10~11] 다음 밑줄 친 漢字語한자어를 보기에서 골라 그 번호를 쓰세요.

> 보기
> ① 日記 ② 千金
> ③ 動物 ④ 自力

10 이번 방학 숙제는 일기 쓰기입니다. (①)

11 나는 자력으로 어려움을 이겨냈습니다. (④)

[문제 12~15] 다음 訓(훈: 뜻)과 음(音: 소리)에 맞는 漢字한자를 보기에서 골라 그 번호를 쓰세요.

> 보기
> ① 育 ② 登 ③ 百 ④ 文

12 글월 문 (④)

13 기를 육 (①)

14 오를 등 (②)

15 일백 백 (③)

[문제 16] 다음 漢字한자의 상대 또는 반대되는 漢字한자를 보기에서 골라 그 번호를 쓰세요.

> 보기
> ① 語 ② 休 ③ 問 ④ 漢

16 (③) ↔ 答

[문제 17~18] 다음 뜻에 맞는 漢字語한자어를 보기에서 찾아 그 번호를 쓰세요.

> 보기
> ① 萬國 ② 同名
> ③ 出動 ④ 百姓

17 옛날에 국민을 이르던 말 (④)

18 서로 이름이 같음. (②)

[문제 19~20] 다음 漢字한자의 진하게 표시된 획은 몇 번째 쓰는지 보기에서 찾아 그 번호를 쓰세요.

> 보기
> ① 첫 번째 ② 두 번째
> ③ 세 번째 ④ 네 번째

19 六 (③)

20 門 (④)

7급 급수 시험

7급 급수 시험 맛보기 ❷회

◀ 정답 22쪽

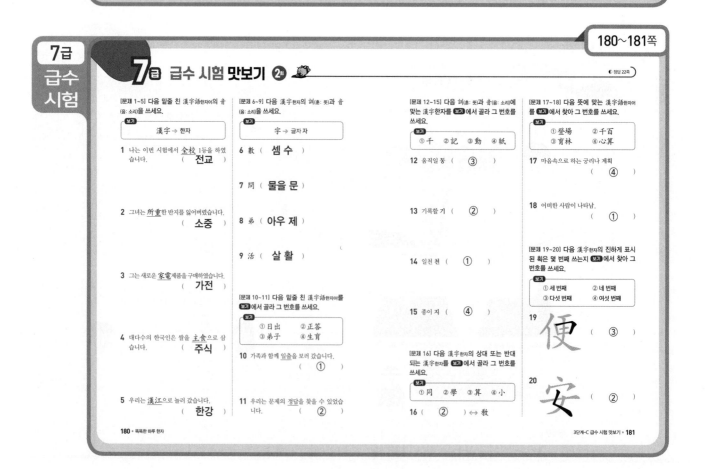

[문제 1~5] 다음 밑줄 친 漢字語한자어의 음(音: 소리)을 쓰세요.

> 보기
> 漢字 → 한자

1 나는 이번 시험에서 全校 1등을 하였습니다. (전교)

2 그녀는 所重한 반지를 잃어버렸습니다. (소중)

3 그는 새로운 家電제품을 구매하였습니다. (가전)

4 대대수의 한국인은 쌀을 主食으로 삼습니다. (주식)

5 우리는 漢江으로 놀러 갔습니다. (한강)

[문제 6~9] 다음 漢字한자의 訓(훈: 뜻)과 음(音: 소리)을 쓰세요.

> 보기
> 字 → 글자 자

6 數 (셈 수)

7 問 (물을 문)

8 弟 (아우 제)

9 活 (살 활)

[문제 10~11] 다음 밑줄 친 漢字語한자어를 보기에서 골라 그 번호를 쓰세요.

> 보기
> ① 日出 ② 正答
> ③ 弟子 ④ 生育

10 가족과 함께 일출을 보러 갔습니다. (①)

11 우리는 문제의 정답을 찾을 수 있었습니다. (②)

[문제 12~15] 다음 訓(훈: 뜻)과 음(音: 소리)에 맞는 漢字한자를 보기에서 골라 그 번호를 쓰세요.

> 보기
> ① 千 ② 記 ③ 動 ④ 紙

12 움직일 동 (③)

13 기록할 기 (②)

14 일천 천 (①)

15 종이 지 (④)

[문제 16] 다음 漢字한자의 상대 또는 반대되는 漢字한자를 보기에서 골라 그 번호를 쓰세요.

> 보기
> ① 同 ② 學 ③ 算 ④ 小

16 (②) ↔ 敎

[문제 17~18] 다음 뜻에 맞는 漢字語한자어를 보기에서 찾아 그 번호를 쓰세요.

> 보기
> ① 登場 ② 千百
> ③ 育林 ④ 心算

17 마음속으로 하는 궁리나 계획 (④)

18 어떠한 사람이 나타남. (①)

[문제 19~20] 다음 漢字한자의 진하게 표시된 획은 몇 번째 쓰는지 보기에서 찾아 그 번호를 쓰세요.

> 보기
> ① 세 번째 ② 네 번째
> ③ 다섯 번째 ④ 여섯 번째

19 便 (③)

20 安 (②)

memo

memo

국가공인 한자자격시험 교재

한자자격시험은 기초 한자와 교과서 한자어를 함께 평가
하여 자격증 취득 시 자신감은 물론 사고력과 어휘력, 교과
학습 능력까지 향상됩니다.

씽씽 한자자격시험만의 **100% 합격** 비결!

1 들으면 술술 외워지는 한자 동요 MP3 제공
2 보면 저절로 외워지는 한자 연상 그림 제시
3 실력별 나만의 공부 계획 가능
4 최신 기출 및 예상 문제 수록
5 놀면서 공부하는 급수별 한자 카드 제공

• 권장 학년: [8급] 초등 1학년 [7급] 초등 2,3학년
[6급] 초등 4,5학년 [5급] 초등 6학년

국가공인 한자능력검정시험 교재

한자능력검정시험은 올바른 우리말 사용을 위한 급수별 기초 한자를 평가합니다.
자격증 취득 시 자신감은 물론 사고력과 어휘력이 향상됩니다.

• 권장 학년: 초등 1학년   • 권장 학년: 초등 2,3학년   • 권장 학년: 초등 4,5학년

• 권장 학년: 초등 6학년   • 권장 학년: 중학생   • 권장 학년: 고등학생

정답은
이안에
있어！

기초 학습능력 강화 프로그램
매일 조금씩 공부력 UP!

국어
예비초~초6

수학
예비초~초6

영어
예비초~초6

봄·여름
가을·겨울

(바·슬·즐)
초1~초2

안전
초1~초2

사회·과학
초3~초6

배움으로 행복한 내일을 꿈꾸는
천재교육 커뮤니티 안내

· · · ·

 교재 안내부터 구매까지 한 번에!
천재교육 홈페이지

천재교육 홈페이지에서는 자사가 발행하는 참고서,
교과서에 대한 소개는 물론 도서 구매도 할 수 있습니다.
회원에게 지급되는 별을 모아 다양한 상품 응모에도
도전해 보세요.

 구독, 좋아요는 필수! 핵유용 정보 가득한
천재교육 유튜브 〈천재TV〉

신간에 대한 자세한 정보가 궁금하세요?
참고서를 어떻게 활용해야 할지 고민인가요?
공부 외 다양한 고민을 해결해 줄 채널이 필요한가요?
학생들에게 꼭 필요한 콘텐츠로 가득한 천재TV로 놀러 오세요!

 다양한 교육 꿀팁에 깜짝 이벤트는 덤!
천재교육 인스타그램

천재교육의 새롭고 중요한 소식을 가장 먼저 접하고 싶다면?
천재교육 인스타그램 팔로우가 필수!
누구보다 빠르고 재미있게 천재교육의 소식을 전달합니다.
깜짝 이벤트도 수시로 진행되니 놓치지 마세요!